■ PRESSES POCKET
8, rue Garancière 75006 Paris

Les langues pour tous

Collection dirigée par Jean-Pierre Berman,
Michel Marcheteau et Michel Savio

Série Initiation en 40 leçons :
Anglais - Allemand - Arabe - Espagnol - Italien - Néerlandais - Portugais - Russe

Série Perfectionnement :
Pratiquer l'américain   Pratiquer l'italien
Pratiquer l'espagnol   Pratiquer l'allemand

Série Score (100 tests d'autoévaluation)
Score anglais   Score italien
Score allemand   Score portugais
Score espagnol

Série économique et commerciale :
L'anglais économique et commercial
L'allemand économique et commercial
L'espagnol économique et commercial
La correspondance commerciale en anglais
La correspondance commerciale en espagnol
Le français commercial

Série Dictionnaires (Garnier) **:**
Dictionnaire de l'anglais d'aujourd'hui
Dictionnaire de l'allemand d'aujourd'hui
Dictionnaire de l'anglais commercial et économique
Dictionnaire de l'allemand commercial et économique

Série « Ouvrages de référence » :
Grammaire de l'anglais d'aujourd'hui (O.U.P.)
La correspondance générale en anglais (Garnier)

Série "Bilingue" :
Nouvelles GB/US d'aujourd'hui (I)
Conan Doyle : Sherlock Holmes enquête
Oscar Wilde : Il importe d'être constant
D.H. Lawrence : Nouvelles
Nouvelles allemandes d'aujourd'hui
Nouvelles GB/US d'aujourd'hui (II)
Nouvelles portugaises d'aujourd'hui
Nouvelles russes classiques
Nouvelles hispano-américaines

■ COLLECTION DIRIGÉE PAR
Jean-Pierre BERMAN
Michel MARCHETEAU
Michel SAVIO

L'ESPAGNOL POUR TOUS

par Jean Chapron
et Pierre Gerboin

ISBN : 2-266-00599-5

■ SOMMAIRE

Les auteurs de cette méthode sont partis de constatations simples :

■ La plupart des personnes ayant étudié l'espagnol pendant 3 ou 4 ans (voire 6 ou 7 ans) ne disposent pas des moyens leur permettant de communiquer utilement dans cette langue.

■ Leurs connaissances vagues et diffuses sont mal maîtrisées ou peu mobilisables et donc non opérationnelles.

■ De plus elles ne constituent pas une base assez solide pour permettre des progrès ultérieurs ; il est bien connu qu'il est malaisé de « construire sur du sable ».

Pour réagir contre ce flou, cette absence de netteté des connaissances — et donc cette inutilité pratique — les auteurs de la présente méthode ont choisi :

■ d'assurer la **connaissance claire et nette des bases principales de la langue** plutôt que de vouloir en décrire tous les mécanismes sans se soucier de leur véritable acquisition.

■ de veiller à ce que tous les éléments présentés (grammaire, prononciation, vocabulaire) soient

définitivement assimilés et donc utilisables pratiquement.

Dans le domaine des langues, il ne sert à rien d'avoir des notions de tout si elles ne débouchent pas sur la capacité à s'exprimer.

■ d'illustrer les mécanismes décrits par des phrases et des tournures **constituant un moyen concret de communication.** Les exemples donnés sont toujours des formules de **grande fréquence** et d'une utilisation courante dans la vie de tous les jours.

Pour ce faire, l'ouvrage comporte :

■ des **unités simples** et **facilement assimilables,** ne cumulant pas plusieurs difficultés mais assurant la maîtrise de tel ou tel mécanisme pris isolément.

■ des *remarques et explications,* qui ajoutées aux traductions en français, permettent à chacun de trouver réponse aux questions qu'il se pose.

■ des exercices de contrôle qui, joints à la répétition systématique des points étudiés, assurent une assimilation complète.

■ La simplicité des unités, la progressivité des difficultés la répétition, le contrôle systématique de toutes les acquisitions, la valeur pratique des structures et des tournures enseignées permettent au lecteur d'acquérir un moyen de communication efficace.

■ En résumé, les auteurs ont voulu privilégier l'apprentissage de la langue plutôt que son enseignement.

0 ■ Présentation et conseils

La description et les conseils qui suivent vont vous permettre d'utiliser votre méthode et d'organiser votre travail de façon efficace.
L'ouvrage comprend :
— 40 leçons de 6 pages
— 1 précis grammatical

Vous retrouverez dans toutes les leçons une **organisation identique** destinée à faciliter l'auto-apprentissage : elles comportent 3 parties, **A, B,** et **C,** de 2 pages chacune.
Ainsi vous pourrez travailler au rythme qui vous conviendra.
Même si vous n'avez pas le temps d'apprendre l'ensemble d'une leçon, vous pourrez l'aborder et en étudier une partie seulement, sans perdre pied ou avoir le sentiment de vous disperser.

Plan des leçons

Partie A : elle se subdivise en 4 sections, A 1, A 2, A 3, A 4.

A 1 PRÉSENTATION

Cette 1re section vous apporte les matériaux de base nouveaux (grammaire, vocabulaire, prononciation) qu'il vous faudra connaître et savoir utiliser pour construire des phrases.

A 2 APPLICATION

A partir des éléments présentés en A, vous est proposée une série de phrases modèles (qu'il faudra par la suite vous entraîner à reconstruire par vous-même).

A 3 REMARQUES

Diverses remarques portant sur les phrases de A 2 précisent tel ou tel point de grammaire, vocabulaire ou prononciation.

A 4 TRADUCTION

Cette dernière section apporte la traduction intégrale de A 2.

Partie B : également subdivisée en 4 sections B 1, B 2, B 3, B 4, elle suit un schéma identique à la partie A, en approfondissant et en complétant les mêmes notions grammaticales, avec un nouvel apport de vocabulaire.

Partie C : ses 4 sections, C 1, C 2, C 3, C 4, sont consacrées aux exercices et aux informations pratiques.

C 1 EXERCICES

Ils servent à contrôler l'acquisition des mécanismes appris en A et B.

C 3 CORRIGÉ

On y trouve la solution complète des exercices de C 1, ce qui permet une **auto-correction.**

C 2 et C 4 INFORMATIONS PRATIQUES

Phrases usuelles de la vie quotidienne et informations complémentaires accompagnées d'une traduction intégrale ou d'explications.

Précis grammatical

Le précis vous donnera un résumé d'ensemble des problèmes grammaticaux de base.

Conseils généraux

■ Travaillez régulièrement

Il est plus utile de travailler avec régularité, même pendant une durée limitée, que de vouloir absorber plusieurs leçons à la fois de façon discontinue.

Ainsi étudier une demi-heure tous les jours, même sur une seule des trois parties d'une leçon, est plus profitable que de survoler plusieurs leçons pendant trois heures tous les dix jours.

■ Programmez l'effort

Vous devez travailler chaque leçon selon ses subdivisions : ainsi il ne faut pas passer en B sans avoir bien compris, appris et retenu A.

Il en va naturellement de même pour les leçons : n'abordez pas une leçon nouvelle sans avoir maîtrisé celle qui la précède.

■ Revenez en arrière

N'hésitez pas à reprendre les leçons déjà vues, à refaire plusieurs fois les exercices.

Encore une fois, assurez-vous bien que tout a été compris et retenu.

Pour les parties A et B

1. Après avoir pris connaissance de A 1 (ou B 1), lire plusieurs fois la série de phrases A 2 (ou B 2).
2. Reportez-vous aux remarques A 3 (ou B 3).
3. Revenez à A 2 (ou B 2) en essayant de traduire en français (sans regarder A 4 (ou B4)).
4. Vérifiez votre traduction en lisant A 4 (ou B 4).
5. Essayez de reconstituer les phrases de A 2 (ou B 2) en partant de A 4 (ou B 4) sans regarder A 2 (ou B 2)...). Vérifiez ensuite ; etc.

Pour la partie C

1. Chaque fois que cela est possible, faites les exercices C 1 par écrit avant de les comparer au corrigé C 3.
2. Apprendre régulièrement par cœur le contenu de C 2.
3. Une leçon ne doit être considérée comme assimilée :
— que si l'on peut traduire en espagnol A 4 et B 4 sans l'aide de A 2 et B 2.
— que lorsque l'on peut faire sans fautes, la totalité des exercices C 1 et traduire C 4 en espagnol.

Version sonore

Un ensemble de **cassettes** sera le complément audio-oral naturel de votre méthode.
Il vous permettra de vous entraîner à parler et à entendre.

1 ■ El... la...

A 1 PRÉSENTATION

Les mots **masculins** se terminent souvent par **o** et les mots **féminins** par **a**.

L'**article défini** singulier est **el** au masculin et **la** au féminin.

L'**adjectif** s'accorde en genre (masculin ou féminin) et en nombre (singulier ou pluriel) avec le nom auquel il se rapporte.

el plato	[plato]	*l'assiette*
la maleta	[maléta]	*la valise*
el papel	[papél]	*le papier*
Málaga	[málaga]	*Málaga (ville espagnole)*
el año	[anyo]	*l'année*
la llave	[lyavé]	*la clef*
la calle	[kayé]	*la rue*
el chico	[tchico]	*le garçon*
la chica	[tchica]	*la fille*
el vino	[bino]	*le vin*
Cuba	[kouba]	*Cuba*
de	[dé]	*de*
nuevo	[nouévo]	*nouveau*
nueva	[nouéva]	*nouvelle*

A 2 APPLICATION

1. El plato nuevo.
2. La maleta nueva.
3. El papel nuevo.
4. El año nuevo.
5. La calle nueva.
6. La llave nueva.
7. El vino de Málaga.
8. La chica de Cuba.

1 ■ Le... la...

A 3 REMARQUES

■ Toutes les lettres d'un mot espagnol se prononcent (sauf h).

■ Le mot espagnol comporte toujours une **syllabe accentuée** prononcée sur un ton plus élevé.

— — + Les mots qui se terminent par une **consonne, sauf s et n,** sont accentués sur la **dernière syllabe** (sans porter l'accent écrit). Ex. : **papel** [papél]

— + — Les mots qui se terminent par une **voyelle, ou n et s,** sont accentués sur **l'avant-dernière syllabe** (sans porter l'accent écrit). Ex. : **plato** [plato]

-́- — — Les mots qui n'obéissent pas à ces deux règles portent **l'accent écrit**. Ex. : **música** [moussika]

■ La (ou les) voyelle(s) accentuée(s) apparaisse(nt) en caractères gras dans notre transcription phonétique : [malaga]

■ **Les voyelles** espagnoles se prononcent comme en français sauf **e** qui se prononce comme le **é** français du mot café et **u** qui se prononce comme le mot ou.

■ **Les consonnes** espagnoles se prononcent comme en français sauf :

ñ (n tilde) qui se prononce [ny] comme gne dans Espagne.

ll (l mouillé) qui se prononce [ly] comme dans lieu au début d'un mot et [y] à l'intérieur d'un mot.

ch qui se prononce [tch] comme dans Tchèque.

v qui se prononce pratiquement comme la lettre **b** [b] surtout en début de mot (suite en B 3).

A 4 TRADUCTION

1. La nouvelle assiette.
2. La nouvelle valise.
3. Le nouveau papier.
4. La nouvelle année.
5. La nouvelle rue.
6. La nouvelle clef.
7. Le vin de Málaga.
8. La fille de Cuba.

1 ■ Un... una...

B 1 PRÉSENTATION

L'article indéfini masculin singulier est **un** [oun].
L'article indéfini féminin singulier est **una** [ouna].

L'adjectif espagnol est généralement placé après le nom auquel il se rapporte.

L'adjectif espagnol terminé par **-e** est invariable en genre (masculin/féminin).

el libro	[libro]	*le livre*
un libro	[ou-n]	*un livre*
la hora	[ora]	*l'heure*
una hora	[ouna]	*une heure*
el juego	[Jouégo]	*le jeu*
un juego		*un eu*
la caja	[kaJa]	*la caisse*
una caja		*ne caisse*
un vaso	[basso]	*un verre*
una mesa	[méssa]	*une table*
un lápiz	[lápiZ]	*un crayon*
una taza	[taZa]	*une tasse*
antiguo	[a-ntigouo]	*ancien*
grande	[gra-ndé]	*grand*

B 2 APPLICATION

1. El libro nuevo.
2. La hora antigua.
3. Un juego antiguo.
4. Una caja antigua.
5. Un vaso grande.
6. Una mesa grande.
7. Un lápiz nuevo.
8. Una taza grande.

1 ■ Un... une...

B 3 REMARQUES

■ **s** se prononce toujours comme les deux s [ss] du mot français cassé.

■ **r** est toujours **roulé**. Ce son est obtenu par le contact du bout de la langue contre le palais à un point proche de celui du **d** et en produisant l'effet d'une vibration.

■ Le son du **j** français n'existe pas en espagnol. Le **j** espagnol et le **g** devant **e** et **i** se prononcent comme le ch allemand de Bach. Ce son appelé **jota** a été popularisé par un sketch resté célèbre de Raymond Devos. Il peut être obtenu à partir du r de Paris prononcé à la parisienne accompagné d'un léger grattement de la gorge.
Dans notre transcription phonétique nous utiliserons la lettre [J] pour le représenter.

■ Le son de **z** et celui de **c** devant **e** et **i** sont obtenus en plaçant l'extrémité de la langue, assez effilée, entre les dents légèrement écartées. Il est proche du son du th anglais.
Dans notre transcription phonétique nous utiliserons la lettre [Z] pour le représenter.

■ **an, on, en, in, un.** Le **n** s'entend toujours en espagnol car les sons nasaux n'existent pas. On prononcera donc [a-n, o-n, é-n, -i-n, ou-n]. Il en est de même avec **m : am** se prononce [a-m], etc.

■ **gua, guo** se prononcent [goua], [gouo] mais **ga, go, gue** e **gui** se prononcent comme en français.

B 4 TRADUCTION

1. Le nouveau livre.
2. L'heure ancienne.
3. Un jeu ancien.
4. Une caisse ancienne.
5. Un grand verre.
6. Une grande table.
7. Un nouveau crayon.
8. Une grande tasse.

1. Compléter avec l'article défini el ou la

la hora   *la* chica
el vaso   *el* papel
la calle   *el* año

2. Compléter avec l'article indéfini un ou una

una. maleta   *el*. libro
el. lápiz   *la*. taza
el. juego   *la* llave

3. Compléter avec l'adjectif nuevo ou nueva

el plato *nuevo*   la mesa *nueva*
la taza *nueva*   el vaso *nuevo*
el papel *nuevo*   el lápiz *nuevo*

4. Traduire en espagnol

l'année nouvelle   une table ancienne
un nouveau jeu   le vin nouveau de Málaga
une grande tasse   un livre ancien

C 2 INFORMATIONS PRATIQUES

buenos días	[bouénos diyas]
buenas tardes	[bouénas tardés]
buenas noches	[bouénas notchés]

señor	[sényor]
señora	[sényora]
señorita	[sényorita]
señores	[sényorés]
señoras	[sényoras]

sí	
no	
bueno	[bouéno]
muy bien	[moui bié-n]
adiós	[adiós]

1. Compléter avec l'article défini el ou la

la hora	la chica
el vaso	el papel
la calle	el año

2. Compléter avec l'article indéfini un ou una

una maleta	un libro
un lápiz	una taza
un juego	una llave

3. Compléter avec l'adjectif nuevo ou nueva

el plato nuevo	la mesa nueva
la taza nueva	el vaso nuevo
el papel nuevo	el lápiz nuevo

4. Traduire en espagnol

el año nuevo	una mesa antigua
un juego nuevo	el vino nuevo de Málaga
una taza grande	un libro antiguo

C 4 TRADUCTION

Bonjour (jusqu'au déjeuner)
Bonjour (après le déjeuner)
Bonsoir, bonne nuit.

Monsieur
Madame
Mademoiselle
Messieurs
Mesdames

oui
non
bon
très bien
au revoir

2 ■ No soy un niño

PRÉSENTATION

Ser	[sér]	verbe être		
Soy	[soï]	je suis	No soy	je ne suis pas
Eres	[éré-s]	tu es	No eres	tu n'es pas
Es	[é-s]	il est	No es	il n'est pas

el muchacho	[moutchatcho]	le jeune homme
la muchacha		la jeune fille
un niño	[ninyo]	un enfant
una niña		une enfant
Pepito	[Pépito]	diminutif de José (Joseph)
Paquita	[Pakita]	dim. de Francisca (Françoise)
español	[éspanyol]	espagnol
española		espagnole
pequeño	[pékényo]	petit (garçon)

A 2   APPLICATION

1. Soy un muchacho.
2. Eres un niño.
3. Es español.
4. Soy una muchacha.
5. Eres una niña.
6. Es española.
7. Pepito es pequeño.
8. Paquita es pequeña.
9. El muchacho es español.
10. La muchacha es española.
11. No es un niño.
12. Es un muchacho.
13. No es una niña.
14. Es una muchacha.

2 ■ Je ne suis pas un enfant

A 3 REMARQUES

■ **Soy** je suis se prononce comme le français [oïl] dans langue d'oïl.

■ **Eres** tu es : n'oubliez pas le **r** roulé.

■ **Es** il est : n'oubliez pas que le **s** espagnol se prononce comme deux s [ss] en français.

■ Le groupe de lettres « **qui** » de **Paquita** se prononce comme en français.

■ **Les pronoms sujets** (je, tu, il, elle, etc.) ne s'emploient généralement pas en espagnol. Ils sont inutiles puisque le verbe a des terminaisons différentes pour chaque personne. **Soy** suffit pour traduire **je suis.**

■ **La forme négative** se forme en plaçant la négation **no** immédiatement avant le verbe.

■ « **C'est** » se traduit simplement par **es.**

A 4 TRADUCTION

1. Je suis un jeune homme.
2. Tu es un enfant.
3. Il est espagnol.
4. Je suis une jeune fille.
5. Tu es une enfant.
6. Elle est espagnole.
7. Joseph est petit.
8. Françoise est petite.
9. Le jeune homme est espagnol.
10. La jeune fille est espagnole.
11. Ce n'est pas un enfant.
12. C'est un jeune homme.
13. Ce n'est pas une enfant.
14. C'est une jeune fille.

2 ■ No somos niños

B 1 PRÉSENTATION

Ser   *verbe être*

Somos [somo-s]	*nous sommes*	**No somos**	*nous ne sommes pas*
Sois [sois]	*vous êtes*	**No sois**	*vous n'êtes pas*
Son [so-n]	*ils sont*	**No son**	*ils ne sont pas*

los chicos	[tchicos]	*les garçons*
las chicas		*les filles*
las sillas	[siyas]	*les chaises*
los cuadros	[kouadros]	*les tableaux*
guapo	[gouapo]	*beau*
guapa		*belle, jolie*
viejo	[bieJo]	*vieux*
vieja		*vieille*
muy	[moui]	*très*

B 2 APPLICATION

1. Somos chicas.
2. Sois guapas.
3. Son muy guapas.
4. Somos chicos.
5. No sois niños.
6. No son muy viejos.
7. Es guapa.
8. Es una chica guapa.
9. Son guapas.
10. Son chicas muy guapas.
11. Es un cuadro antiguo.
12. Son cuadros antiguos.
13. Es una silla muy vieja.
14. Son sillas muy viejas.

2 ■ Nous ne sommes pas des enfants

B 3 REMARQUES

■ Rappel : Attention à la prononciation de la **jota** [J] dans le mot **viejo** (p. 15)

■ **s** à la fin d'un mot se prononce toujours (somo-s).

■ **on** : le **n** s'entend toujours ; on doit prononcer [o-n].

■ Rappel : **les pronoms sujets** (nous, vous, ils, elles) ne s'emploient généralement pas en espagnol.

■ **Le pluriel** des noms terminés par une voyelle se forme en ajoutant un **-s** et celui des mots terminés par une consonne en ajoutant **-es.**

■ Pluriel des articles définis : **el** devient **los** et **la** devient **las.**

■ Les articles indéfinis **un** et **una** n'existent pas au pluriel.

■ **L'adjectif** s'accorde avec le nom auquel il se rapporte.

■ **C'est** se traduit par **es** et **ce sont** par **son.**

B 4 TRADUCTION

1. Nous sommes des filles.
2. Vous êtes jolies.
3. Elles sont très jolies.
4. Nous sommes des garçons.
5. Vous n'êtes pas des enfants.
6. Ils ne sont pas très vieux.
7. Elle est jolie.
8. C'est une jolie fille.
9. Elles sont jolies.
10. Ce sont des filles très jolies.
11. C'est un tableau ancien.
12. Ce sont des tableaux anciens.
13. C'est une chaise très vieille.
14. Ce sont des chaises très vieilles.

1. Conjuguer le verbe « Ser »

. . . .

2. Mettre au pluriel

Soy un chico.   Soy española.
Eres guapa.   Eres una muchacha.
El cuadro es antiguo.   Es la silla.

3. Mettre au singulier

Somos pequeños.   Somos los chicos.
No sois muchachos.   Sois guapas.
Las sillas son viejas.   Son cuadros.

4. Traduire

Je suis une fille.   Nous sommes petits.
Tu es jolie.   Vous n'êtes pas vieux.
Le tableau est ancien.   Les chaises sont neuves.

C 2 INFORMATIONS PRATIQUES

1 uno (un, una)   11 once
  un plato   once platos
  una maleta

2 dos   12 doce
  dos platos   doce maletas
  dos maletas

3 tres   13 trece

4 cuatro   14 catorce

5 cinco   15 quince

6 seis   16 dieciséis

7 siete   17 diecisiete

8 ocho   18 diechiocho

9 nueve   19 diecinueve

10 diez   20 veinte

1. Conjuguer le verbe « Ser »

Soy, eres, es, somos, sois, son

2. Mettre au pluriel

Somos chicos   Somos españolas
Sois guapas   Sois muchachas
Los cuadros son antiguos   Son las sillas

3. Mettre au singulier

Soy pequeño   Soy el chico
No eres un muchacho   Eres guapa
La silla es vieja   Es un cuadro

4. Traduire

Soy una chica   Somos pequeños
Eres guapa   No sois viejos
El cuadro es antiguo   Las sillas son nuevas

C 4   REMARQUES

■ La forme **uno** ne se présente que lorsque ce chiffre n'est pas suivi d'un nom.

■ Devant un nom, il n'y a pas de différence en espagnol entre le chiffre **un** et l'article indéfini **un**.

un plato   une assiette
una maleta   une valise

3 ■ ¿Está contento?

A 1 PRÉSENTATION

Estar		*verbe être*		
Estoy	[éstoï]	*je suis*	**¿Estoy?**	*suis-je?*
Estás	[ésta-s]	*tu es*	**¿Estás?**	*Es-tu?*
Está	[ésta]	*il est*	**¿Está?**	*Est-il?*

el campo	[ka-mpo]	*la campagne*
en el campo	[é-n]	*à la campagne*
la casa	[kassa]	*la maison*
en casa		*à la maison*
en Lima		*à Lima*
el hombre	[o-mbré]	*l'homme*
Pedro	[pédro]	*Pierre*
contento	[ko-nté-nto]	*content*
enfermo	[é-nférmo]	*malade*
triste	[tristé]	*triste*
sí		*oui*
no		*non*

A 2 APPLICATION

1. Estoy contento.
2. ¿Estoy contento?
3. Estás triste.
4. ¿No estás contenta?
5. El hombre no está triste.
6. ¿Está triste?
7. ¿Estás en Lima?
8. — Sí, estoy en Lima.
9. ¿Está Pedro en casa?
10. — No, está en el campo.
11. ¿Estás enfermo?
12. — No, no estoy enfermo.
13. ¿Está la casa de Elena en el campo.
14. — Sí, la casa de Elena está en el campo.

3 ■ Est-il content?

■ Rappel : le **s** espagnol se prononce comme les deux s du mot français cassé.

■ Rappel : il n'y a pas de sons nasaux en espagnol. Le **n** s'entend toujours : **on, en, in, an, un** se prononcent [o-n] [é-n] [i-n] [a-n][ou-n].

■ **L'interrogation** se forme en inversant le verbe et le sujet. Le pronom personnel sujet étant très souvent omis en espagnol, l'intonation seule permet de distinguer l'interrogation dans la langue parlée. Un point d'interrogation inversé est placé au début de la question écrite.

■ Lorsqu'il n'y a pas mouvement, la préposition française **à** devient **en** en espagnol :

        Estoy en Lima   je suis à Lima

■ Rappel : l'adjectif espagnol terminé par **-e** est invariable en genre (maculin, féminin).

A 4 TRADUCTION

1. Je suis content.

2. Suis-je content?

3. Tu es triste.

4. N'es-tu pas contente?

5. L'homme n'est pas triste.

6. Est-il triste?

7. Es-tu à Lima?

8. — Oui, je suis à Lima.

9. Pierre est-il à la maison?

10. — Non, il est à la campagne.

11. Es-tu malade?

12. — Non, je ne suis pas malade.

13. La maison d'Hélène est-elle à la campagne?

14. — Oui, la maison d'Hélène est à la campagne.

3 ■ ¿Están cansados?

B 1 PRÉSENTATION

Estar   *verbe être*

Estamos	[éstamo-s]	*nous sommes*	**¿Estamos?**	*Sommes-nous?*
Estáis	[éstaïs]	*vous êtes*	**¿Estáis?**	*Etes-vous?*
Están	[ésta-n]	*ils sont*	**¿Están?**	*Sont-ils?*

la escuela	[éskouéla]	*l'école*
el paseo	[passéo]	*la promenade*
el señor	[sényor]	*le monsieur*
la señora	[sényora]	*la dame*
en Madrid	[MadriZ]	*à Madrid*
en París	[Pari-s]	*à Paris*

bueno	[bouéno]	*en bonne santé*
cansado	[ka-nsado]	*fatigué*
malo		*malade*

| y | [i] | *et* |

B 2 APPLICATION

1. Estamos buenos.

2. No estamos malos.

3. ¿Estáis buenas?

4. — No estamos malas.

5. El señor está cansado.

6. La señora está cansada.

7. Están cansados.

8. ¿Estáis en Madrid?

9. — No, no estamos en Madrid.

10. Estamos en París.

11. ¿Están los niños en la escuela?

12. — No, están en el paseo.

13. ¿Estáis cansadas?

14. — Sí, estamos muy cansadas.

3 ■ Sont-ils fatigués?

■ Rappel : le **r** espagnol est toujours **roulé.**
■ Le **d** final espagnol peut être prononcé comme un **z** affaibli (prononciation madrilène) ou pas du tout.
■ Il y a **deux verbes être** en espagnol : **ser** et **estar.**
Ser exprime l'existence de qualités essentielles à un être ou à une chose.
Estar exprime une circonstance plus ou moins durable ou le lieu (p. 103).
■ Certains adjectifs changent complètement de sens selon qu'ils sont employés avec **ser** ou avec **estar** :

ser bueno	bon	**estar bueno**	en bonne santé
ser malo	méchant	**estar malo**	malade
ser cansado	fatigant	**estar cansado**	fatigué

■ **Les adjectifs ou participes passés** employés avec ser ou estar s'accordent en genre et en nombre avec le (ou les) sujet(s).

B 4 TRADUCTION

1. Nous sommes en bonne santé.
2. Nous ne sommes pas malades.
3. Etes-vous en bonne santé?
4. — Nous ne sommes pas malades.
5. Le monsieur est fatigué.
6. La dame est fatiguée.
7. Ils sont fatigués.
8. Etes-vous à Madrid?
9. — Non, nous ne sommes pas à Madrid.
10. Nous sommes à Paris.
11. Les enfants sont-ils à l'école?
12. — Non, ils sont sur la promenade.
13. Etes-vous fatiguées?
14. — Oui, nous sommes très fatiguées.

1. Conjuguer le verbe estar

. . . .

2. Mettre au pluriel

estoy bueno
estás mala
está contento

la señora está cansada
el chico está en casa
la niña está triste

3. Faire la question correspondante

la señora está en casa
está mala
la casa está en Madrid

las señoras están en Lima
están contentas
no están tristes

4. Traduire

êtes-vous à Madrid?
sont-ils contents?
sommes-nous en bonne
santé?

nous ne sommes pas à Madrid
il ne sont pas tristes
vous n'êtes pas malades

C 2 INFORMATIONS PRATIQUES

20 veinte	21 veintiuno
	29 veintinueve
30 treinta	33 treinta y tres
40 cuarenta	44 cuarenta y cuatro
50 cincuenta	55 cincuenta y cinco
60 sesenta	66 sesenta y seis
70 setenta	77 setenta y siete
80 ochenta	88 ochenta y ocho
90 noventa	99 noventa y nueve
100 ciento	cien maletas
	cien libros

105 ciento cinco
167 ciento sesenta y siete

1. Conjuguer le verbe estar

estoy, estás, está, estamos, estáis, están.

2. Mettre au pluriel

estamos buenos
estáis malas
están contentos

las señoras están cansadas
los chicos están en casa
las niñas están tristes

3. Faire la question correspondante

¿está la señora en casa?
¿está mala?
¿está la casa en Madrid?

¿están las señoras en Lima?
¿están contentas?
¿no están tristes?

4. Traduire

¿estáis en Madrid?
¿están contentos?
¿estamos buenos?

no estamos en Madrid
no están tristes
no estáis malos

C 4 REMARQUES

■ y ne s'emploie qu'entre les dizaines et les unités.

■ De 16 à 29 inclus, au lieu de **diez y seis**, ..., **veinte y nueve**, il est préférable d'écrire : **dieciséis**, ..., **veintinueve**.

■ La forme **ciento** ne se présente que devant un autre numéral de dizaines ou d'unités.
Ciento s'écrit **cien** lorsqu'il est suivi d'un nom ou d'un numéral supérieur à la centaine **(mil, millón)**.

4 ■ Tengo mi libro

A 1 PRÉSENTATION

Yo		je	Mi(s)		mon, mes
Tú	[tou]	tu	Tu(s)	[tou]	ton, tes
Él, ella	[éya]	il, elle	Su(s)	[sou]	son, ses

Tener   *verbe avoir*

(Yo)	**tengo mi libro**	(té-ngo)	*j'ai mon livre*
(Tú)	**tienes tu carta**	(tiéné-s)	*tu as ta lettre*
(Él)	**tiene su libro**	(tiéné)	*il a son livre*
(Ella)	**tiene sus cartas**		*elle a ses lettres*

el cuarto	[kouarto]	*la chambre, la pièce*
el hermano	[érmano]	*le frère*
la hermana		*la sœur*
el hijo	[iJo]	*le fils*
la hija		*la fille*
el periódico	[périodiko]	*le journal*
la ventana	[bé-ntana]	*la fenêtre*
varios/as	[bario-s]	*plusieurs*

A 2 APPLICATION

1. Yo tengo mi carta.
2. Tú tienes tus periódicos.
3. Él tiene sus cartas.
4. Ella tiene su periódico.
5. ¿Tienes mi periódico?
6. — Sí, tengo tu periódico.
7. ¿Tiene tu hermana cartas?
8. — No, no tiene cartas.
9. ¿Tiene tu hermano hijos?
10. — Sí, tiene un hijo y dos hijas.
11. ¿Tiene su casa varios cuartos?
12. — Sí, su casa tiene cinco cuartos.
13. ¿Tiene su cuarto varias ventanas?
14. — Sí, su cuarto tiene cuatro ventanas.

30

4 ■ J'ai mon livre

A 3 REMARQUES

■ Rappel : Attention à la prononciation de la **jota** [J], le **j** espagnol ou le **g** devant **e** et **i**, (p. 15).

■ **h** espagnol est toujours **muet.**

■ Le verbe **tener,** avoir, signifie **posséder.** Il n'est pas employé comme auxiliaire.

■ Les pronoms personnels sujets **yo, tú, él, ella** sont généralement omis. On les emploie seulement pour la clarté, **él tiene** il a, **ella tiene** elle a, ou pour insister : **yo tengo** moi, j'ai.

■ Les adjectifs possessifs **mi, tu, su,** s'accordent en nombre (singulier-pluriel) avec le nom qu'ils précèdent. A la troisième personne, s'il y a doute, on peut ajouter **de él** ou **de ella** : **su casa de él, su casa de ella.**

■ Il n'y a **pas d'article partitif** en espagnol : **tiene pan,** il a du pain ; **no tiene libro,** il n'a pas de livre.

A 4 TRADUCTION

1. Moi, j'ai ma lettre.

2. Toi, tu as tes journaux.

3. (Lui) il a ses lettres.

4. (Elle) elle a son journal.

5. As-tu mon journal?

6. — Oui, j'ai ton journal.

7. Ta sœur a-t-elle des lettres.

8. — Non, elle n'a pas de lettres.

9. Ton frère a-t-il des enfants?

10. — Oui, il a un fils et deux filles.

11. Sa maison a-t-elle plusieurs pièces?

12. — Oui, sa maison a cinq pièces.

13. Sa chambre a-t-elle plusieurs fenêtres?

14. — Oui, sa chambre a quatre fenêtres.

4 ■ Tienen su coche

B 1 PRÉSENTATION

Nosotros/as	*nous*	**Nuestro/a/os/as**	*notre, nos*
Vosotros/as	*vous*	**Vuestro/a/os/as**	*votre, vos*
Ellos, ellas	*ils, elles*	**Su(s)**	*leur, leurs*

Tener   *verbe avoir*

(Nosotros) tenemos nuestro coche *nous avons notre voiture*
(Vosotras) tenéis vuestras ideas *vous avez vos idées*
(Ellos) tienen su coche *ils ont leur voiture*
(Ellas) tienen sus costumbres *elles ont leurs habitudes*

el amigo		*l'ami*
el billete	[biyéré]	*le billet*
el bolígrafo		*le crayon à bille*
el coche	[kotché]	*la voiture*
la costumbre	[kostoumbré]	*l'habitude, la coutume*
el dinero	[dinéro]	*l'argent*
la idea	[idéa]	*l'idée*
también	[ta-mbié-n]	*aussi*

B 2 APPLICATION

1. Nosotras tenemos nuestro coche.
2. Vosotros tenéis vuestras costumbres.
3. Ellos tienen su coche.
4. Ellas tienen sus ideas.
5. ¿Tienen ellos su coche?
6. — Sí, tienen su coche.
7. ¿Tenéis vuestros bolígrafos?
8. — Sí, tenemos nuestros bolígrafos.
9. ¿Tenemos nuestros billetes?
10. — Sí, tenéis vuestros billetes.
11. ¿Tienen vuestros amigos dinero?
12. — Sí, nuestros amigos tienen dinero.
13. ¿Tenéis dinero también?
14. — No, no tenemos dinero.
15. Nuestros amigos tienen sus ideas.
16. Tienen sus costumbres también.

4 ■ Ils ont leur voiture

B 3 REMARQUES

■ Les pronoms personnels sujets **nosotros, vosotros, ellos,** ont une forme féminine : **nosotras, vosotras, ellas.**
Ils sont généralement inutiles puisque le verbe a une terminaison différente pour chaque personne.
Si le pronom sujet représente un groupe mixte, comme en français, le masculin l'emporte sur le féminin.

■ Les adjectifs possessifs **nuestro** et **vuestro** s'accordent en genre (masculin-féminin) et en nombre (singulier-pluriel) avec le nom qu'ils précèdent.
L'adjectif possessif **su(s)** s'emploie aux troisièmes personnes du singulier et du pluriel. Il traduit donc son, sa, leur, devant un nom singulier et ses, leurs, devant un nom pluriel.

■ Rappel : **ch** espagnol se prononce [tch] : **coche** [çotché] voiture.

■ Attention à l'accentuation : **tenemos** [ténémo-s], **tenéis** [téné-is] **tienen** [tiéné-n].

B 4 TRADUCTION

1. Nous, nous avons notre voiture.
2. Vous, vous avez vos habitudes.
3. (Eux) ils ont leur voiture.
4. (Elles) elles ont leurs idées.
5. Ont-ils leur voiture?
6. Oui, ils ont leur voiture.
7. Avez-vous vos crayons à bille.
8. — Oui, nous avons nos crayons à bille.
9. Avons-nous nos billets?
10. — Oui, vous avez vos billets.
11. Vos amis ont-ils de l'argent?
12. — Oui, nos amis ont de l'argent.
13. Avez-vous aussi de l'argent?
14. — Non, nous n'avons pas d'argent.
15. Nos amis ont leurs idées.
16. Ils ont aussi leurs habitudes.

1. Conjuguer le verbe tener

. . . .

2. Mettre au singulier

tenemos nuestras llaves
tenéis vuestras tazas
tienen sus platos

tenemos vino
tenéis vuestros vasos
tienen sus sillas

3. Mettre au pluriel

tengo mi libro
tienes tu bolígrafo
tiene dinero

tengo mi billete
tienes tu llave
tiene su periódico

4. Traduire

moi, j'ai mes tableaux
toi, tu as tes journaux
il a ses habitudes
elle a ses idées

nous, nous avons nos fils
vous, vous avez vos filles
ils ont leurs maisons
elles ont leurs voitures

C 2 INFORMATIONS PRATIQUES

200 doscientos (as)	1.000 mil
300 trescientos (as)	1.001 mil uno
400 cuatrocientos (as)	2.000 dos mil
500 quinientos (as)	100.000 cien mil
600 seiscientos (as)	500.000 quinientos mil
700 setecientos (as)	1.000.000 un millón
800 ochocientos (as)	2.000.000 dos millones
900 novecientos (as)	1.000.000.000 mil millones

doscientos chicos
trescientas chicas

2,50 dos y medio
10,25 diez coma veinticinco

1.531.724 : un millón quinientos(as) treinta y un(a) mil setecientos(as) veinticuatro francos (pesetas).

1. Conjuguer le verbe tener

tengo, tienes, tiene, tenemos, tenéis, tienen.

2. Mettre au singulier

tengo mi llave   tengo vino
tienes tu taza   tienes tu vaso
tiene su plato   tiene su silla

3. Mettre au pluriel

tenemos nuestros libros tenemos nuestros billetes
tenéis vuestros bolígrafos tenéis vuestras llaves
tienen dinero   tienen sus periódicos

4. Traduire

yo, tengo mis cuadros   (nosotros) tenemos nuestros
           hijos
tú, tienes tus periódicos (vosotros) tenéis vuestras hijas
(él) tiene sus costumbres (ellos) tienen sus casas
(ella) tiene sus ideas   (ellas) tienen sus coches

C 4 REMARQUES

De 200 à 900, les centaines se terminent par **-as** devant les noms féminins : **doscientas pesetas, trescientas,** etc.

Mil est invariable en tant que numéral. Il peut être mis au pluriel dans le sens de millier.

Le mot espagnol **millón** se comporte comme un nom. Il prend le pluriel **dos millones** et est suivi de la préposition **de** : **dos millones de pesetas.**

Le mot français milliard se traduit en espagnol **mil millones.**

uno y medio un et demi.
dos y media deux et demie.
coma virgule.

5 ■ ¿Qué tiene Ud?

A 1 PRÉSENTATION

T. S. *tutoiement singulier*	**V. S.** *vouvoiement singulier*
(Tú) tienes *tu as*	**Ud (usted) tiene** *vous avez*

T. S. **Tienes tu pasaporte** *tu as ton passeport*
V. S. **Ud tiene su pasaporte** *vous avez votre passeport*
V. S. **¿Qué tiene Ud?** *qu'avez-vous?*
V. S. **¿Tiene Ud mi cartera?** *avez-vous ma serviette?*
— **Sí, tengo su cartera.** — *oui, j'ai votre serviette.*

la cartera	[kartéra]	la serviette, le portefeuille
el guardia	[gouardia]	l'agent (de police)
el médico	[médiko]	le médecin
el pasaporte	[passaporté]	le passeport
el vecino	[béZino]	le voisin
por favor		s'il vous plaît
¿qué?	[ké]	que? quoi?
¿quién?	[Kié-n]	qui?

A 2 APPLICATION

1. ¿Qué tengo?
2. — Tienes tu pasaporte.
3. — Ud tiene su pasaporte.
4. ¿Qué tienes?
5. ¿Qué tiene Ud?
6. — Tengo mi cartera.
7. ¿Quién soy?
8. — Eres el médico
9. — Ud es el médico.
10. ¿Quién eres?
11. — Soy tu amigo.
12. ¿Quién es Ud?
13. — Soy su vecino.
14. Soy un guardia.
15. ¿Tiene Ud su pasaporte, por favor?

5 ■ Qu'avez-vous?

A 3 REMARQUES

■ **Rappel** : Attention à la prononciation du mot **vecino,** voisin. Le **c** devant **e** et **i** se prononce comme le **z** [Z] en plaçant l'extrémité de la langue entre les dents (p. 15).

■ **T. S. (tutoiement singulier)** : en espagnol, si l'on s'adresse familièrement à quelqu'un, on emploie comme en français le pronom **tú** suivi de la 2e personne du singulier.

■ **V. S. (vouvoiement singulier)** : si l'on s'adresse respectueusement à quelqu'un, on emploie le pronom **usted,** que l'on écrit en abrégé **Ud,** suivi de la 3e personne du singulier. **Usted** est la contraction d'une forme ancienne **Vuestra Merced,** Votre Grâce, qui était évidemment suivie de la 3e personne du singulier.

■ **L'adjectif possessif** correspondant à **Ud (usted)** est, très logiquement, celui de la 3e personne du singulier, c'est-à-dire **su(s)** : **Ud tiene su libro,** vous avez votre livre.

■ Les mots interrogatifs portent toujours l'accent écrit : **¿Qué? ¿Quién? ¿Dónde? ¿Cómo?,** etc.

A 4 TRADUCTION

1. Qu'ai-je?
2. — Tu as ton passeport.
3. — Vous avez votre passeport. (V. S.)
4. Qu'as-tu?
5. Qu'avez-vous? (V. S.)
6. — J'ai mon porte-documents.
7. Qui suis-je?
8. — Tu es le médecin.
9. — Vous êtes le médecin. (V. S.)
10. Qui es-tu?
11. — Je suis ton ami.
12. Qui êtes-vous? (V. S.)
13. — Je suis votre voisin. (V. S.)
14. Je suis un agent (de police)
15. — Avez-vous votre passeport, s'il vous plaît? (V. S.)

5 ■ ¿Tienen Uds sus libros?

B 1 PRÉSENTATION

T. P. *tutoiement pluriel*
(Vosotros) tenéis *vous avez*

V. P. *vouvoiement pluriel*
Uds (ustedes) tienen
vous avez

T. P. **tenéis vuestras cartas**   *vous avez vos lettres*

V. P. **Uds tienen sus cartas**   *vous avez vos lettres*
V. P. **¿Qué tienen Uds?**   *qu'avez-vous?*
V. P. **¿Tienen Uds mi libro?**   *avez-vous mon livre?*
        — Sí, tenemos su libro.   *— oui, nous avons votre livre.*

el estudiante	[éstoudi-a-nté]	*l'étudiant*
la oficina	[ofiZina]	*le bureau*
la universidad	[ounivérsidaZ]	*l'université*
gracias	[gracia-s]	*merci*
también	[ta-mbié-n]	*aussi*
¿quiénes?	[kiénés]	*qui?*
¿dónde?	[do-ndé]	*où?*
¿cómo?		*comment?*

B 2 APPLICATION

1. ¿Qué tenemos?
2. — Tenéis vuestros libros.
3. — Uds tienen sus libros.
4. ¿Quiénes sois?
5. — Somos vuestros vecinos.
6. ¿Quiénes son Uds?
7. — Somos sus estudiantes de español.
8. ¿Cómo estáis?
9. ¿Cómo están Uds?
10. — Estamos muy bien, gracias.
11. ¿Dónde estáis?
12. — Estamos en la oficina.
13. ¿Dónde está vuestra oficina?
14. ¿Dónde están Uds?
15. — Estamos en la universidad.
16. ¿Dónde está su universidad?

B 3 REMARQUES

■ **T. P. (tutoiement pluriel)** : **vosotros** suivi de la 2ᵉ personne du pluriel.

■ **V. P. (vouvoiement pluriel)** : en espagnol, si l'on s'adresse respectueusement à plusieurs personnes, on emploie le pluriel de **usted,** c'est-à-dire **ustedes,** que l'on écrit **Uds** en abrégé, suivi de la 3ᵉ personne du pluriel.

■ Récapitulation : le **vous** français se traduit de trois manières différentes en espagnol :
        T. P. : vosotros + 2ᵉ personne du pluriel.
        V. S. : Ud (usted) + 3ᵉ personne du singulier.
        V. P. : Uds (ustedes) + 3ᵉ personne du pluriel.

■ **L'adjectif possessif** correspondant à **Uds (ustedes)** est évidemment celui de la 3ᵉ personne du pluriel, c'est-à-dire **su(s)** : **Uds tienen su coche,** vous avez votre voiture, **sus amigos son estudiantes,** vos amis sont étudiants.

B 4 TRADUCTION

1. Qu'avons-nous?
2. — Vous avez vos livres. (T. P.)
3. — Vous avez vos livres. (V. P.)
4. Qui êtes-vous? (T. P.)
5. — Nous sommes vos voisins. (T. P.)
6. Qui êtes-vous? (V. P.)
7. — Nous sommes vos étudiants d'espagnol. (V. P.)
8. Comment allez-vous? (T. P.)
9. Comment allez-vous? (V. P.)
10. — Nous allons très bien, merci.
11. Où êtes-vous? (T. P.)
12. — Nous sommes au bureau.
13. Où est votre bureau. (T. P.)
14. Où êtes-vous? (V. P.)
15. — Nous sommes à l'université.
16. Où est votre université? (V. P.)

1. Mettre à la forme Ud

tienes tu casa
estás en París

eres español
estás cansado

2. Mettre à la forme Uds

tenéis vuestras llaves
sois estudiantes

estáis en Madrid
sois guapas

3. Faire la question correspondante avec le mot interrogatif et Ud ou Uds

estoy en casa
soy el médico
tengo mi pasaporte

estamos muy bien
somos franceses
tenemos nuestros vasos

4. Traduire

Comment allez-vous? (V. P.)
Avez-vous vos livres? (V. P.)
Où est votre passeport? (V. S.)
Etes-vous fatigué?(V. S.)

Qui êtes-vous? (V. S.)
Qu'avez-vous? (V. P.)
J'ai votre clef (V. S.)
Je suis votre ami (V. P.)

C 2 INFORMATIONS PRATIQUES

¿Qué hora es?
es la una
son las dos
. . .
son las doce

¿A qué hora?
a la una
a las dos
. . .
a las doce

son { las ...... de la mañana/de la tarde/de la noche.
a   { las dos y diez/y cuarto/y media/menos cinco.

son las ocho en punto.
son las doce del día.
son las doce de la noche.

al mediodía
a la medianoche

1. Mettre à la forme Ud

Ud tiene su casa   Ud es español
Ud está en París   Ud está cansado

2. Mettre à la forme Uds

Uds tienen sus llaves   Uds están en Madrid
Uds son estudiantes   Uds son guapas

3. Faire la question correspondante avec le mot interrogatif et Ud ou Uds

¿Dónde está Ud?   ¿Cómo están Uds?
¿Quién es Ud?   ¿Qué son Uds?
¿Qué tiene Ud?   ¿Qué tienen Uds?

4. Traduire

¿Cómo están Uds?   ¿Quién es Ud?
¿Tienen Uds sus libros?   ¿Qué tienen Uds?
¿Dónde está su pasaporte?   Tengo su llave (de Ud)
¿Está Ud cansado?   Soy su amigo (de Uds)

C 4 TRADUCTION

Quelle heure est-il?   A quelle heure?
Il est une heure   à une heure
Il est deux heures   à deux heures
. . . .
Il est midi (ou minuit)   à midi (ou minuit)

il est { ..... heures du matin/de l'après-midi/du soir.
à   { deux heures dix/et quart/et demie/moins cinq.

Il est huit heures précises.
Il est midi.   à midi
Il est minuit.   à minuit

6 ■ Él toma el pan

Infinitif en **-ar** : présent de l'indicatif

tom	ar	**tomar**	*prendre*
tom	o	**tomo**	*je prends*
tom	as	**tomas**	*tu prends*
tom	a	**toma**	*il, elle prend*
tom	amos	**tomamos**	*nous prenons*
tom	áis	**tomáis**	*vous prenez*
tom	an	**toman**	*ils, elles prennent*

el español	*l'espagnol*	mucho	*beaucoup de*
el metro	*le métro*	esperar	*attendre*
el pan	*le pain*	hablar	*parler*
el sol	*le soleil*	nada	*rien*

1. ¿Tomas el pan? — Sí, tomo el pan. Mucho pan.
2. ¿No tomáis pan vosotros? — No, no tomamos pan.
3. ¿Por qué toma ella el sol?
4. ¿Qué habla Ud? — Yo hablo español.
5. ¿Hablan Uds español? — Sí, hablamos español.
6. ¿Tomamos el metro? — No, no tomamos el metro.
7. ¿Qué esperas? ¿el metro? — Sí, espero el metro.
8. Y él, ¿qué espera? — Él no espera nada.
9. ¿Qué esperan Uds? — Nada, no esperamos nada.
10. Y vosotros, ¿qué esperáis? — Nosotros esperamos el sol.
11. Yo tomo pan. Tú tomas el metro. Ella toma el sol.
12. Esperamos el sol. Esperáis el metro. Ellos, nada.

A 3 REMARQUES

■ Rappel. Le « s » espagnol se prononce comme les deux « ss » français de « cassé ».

Le « ch » de « mucho » se prononce « tch » comme dans « tchèque ».

■ **Tomar** est composé d'un radical : **tom** qui ne change jamais et qu'on trouve à toutes les personnes du verbe, et d'une terminaison : **AR** qui, elle, change à toutes les personnes. (p. 266).

Au présent de l'indicatif des verbes réguliers, la première personne du singulier se termine toujours en « o » :

tomar = tom-o ; esperar = esper-o

Pour les autres personnes, c'est la voyelle de la terminaison de l'infinitif qui est utilisée :

tomar o, as, a, amos, áis, an

■ **Vous,** sans autre précision, correspond au **V.S.**

A 4 TRADUCTION

1. Prends-tu le pain? — Oui, je prends le pain. Beaucoup de pain.
2. Vous ne prenez pas de pain, vous? (T. P.) — Non, nous ne prenons pas de pain.
3. Pourquoi prend-elle le soleil?
4. Que parlez-vous? — Moi, je parle espagnol.
5. Parlez-vous (V. P.) espagnol? — Oui, nous parlons espagnol.
6. Prenons-nous le métro? — Non, nous ne prenons pas le métro.
7. Qu'attends-tu? le métro? — Oui, j'attends le métro.
8. Et lui, qu'attend-il? — Lui, il n'attend rien.
9. Qu'attendez-vous (V. P.)? — Rien, nous n'attendons rien.
10. Et vous (T. P.), qu'attendez-vous? — Nous attendons le soleil.
11. Moi, je prends du pain. Toi, tu prends le métro. Elle, elle prend le soleil.
12. Nous attendons le soleil. Vous (T. P.) attendez le métro. Eux, rien.

6 ■ Que él tome el pan

Infinitif en **-ar** : présent du subjonctif

tom	ar	tomar	prendre
tom	e	tome	*que je prenne*
tom	es	tomes	*que tu prennes*
tom	e	tome	*qu'il, elle prenne*
tom	emos	tomemos	*que nous prenions*
tom	éis	toméis	*que vous preniez*
tom	en	tomen	*qu'ils, elles prennent*

el agua	*l'eau*
la palabra	*le mot, la parole*
es útil que	*il est utile que*
hace falta que	*il faut que*
hace falta que no ⎱	*il ne faut pas que*
no hace falta que ⎰	

B 2 APPLICATION

1. **Él toma agua. — ¿Es útil? — Sí, es útil que él tome agua.**

2. **Nosotros también tomamos agua. — ¿Hace falta? — Sí, hace falta que toméis también agua.**

3. **Ellos toman la palabra. — ¿Es útil? — No, no es útil que ellos tomen la palabra.**

4. **Hace falta que Ud tome la palabra.**

5. **¿Hace falta que Uds tomen agua?**

6. **No, no hace falta que tomemos agua.**

7. **Uds esperan el metro. — ¿Es útil? — Sí, es útil que esperemos el metro.**

8. **Hace falta que tú tomes agua y él, pan.**

9. **Habláis : hace falta que no habléis.**

10. **Tomáis pan : no hace falta que toméis pan.**

11. **Esperáis : no es útil que esperéis.**

B 3 REMARQUES

■ Rappel. Le « **u** » de « útil » se prononce « **ou** ».
Le « **e** » se prononce « **é** ».

■ Quand l'infinitif d'un verbe est en **-AR**, la voyelle de la terminaison du subjonctif présent est toujours « **E** ». (p. 266).

■ « **Es útil que** », « **hace falta que** » sont suivis du subjonctif présent. (p. 111).

■ Les **première** et **troisième personnes** du singulier du subjonctif présent sont **semblables : tome**. S'il y a risque de confusion entre « je », « il », « elle » ou le « vous » de vouvoiement singulier (Ud + la 3ᵉ personne du singulier) il convient de mettre le pronom personnel sujet : « **yo,** » « **él** » « **ella** » ou « **Ud** ».

■ **Vous,** sans autre précision, correspond au **V.S.**

B 4 TRADUCTION

1. Lui, il prend de l'eau. — Est-ce utile? — Oui, il est utile qu'il prenne de l'eau.

2. Nous aussi nous prenons de l'eau. — Le faut-il? — Oui, il faut que vous preniez (T. P.) aussi de l'eau.

3. Ils prennent la parole. — Est-ce utile? — Non, ce n'est pas utile qu'ils prennent la parole.

4. Il faut que vous preniez la parole.

5. Faut-il que vous preniez (V. P.) de l'eau?

6. Non, il ne faut pas que nous prenions de l'eau.

7. Vous attendez (V. P.) le métro. — Est-ce utile? — Oui, il est utile que nous attendions le métro.

8. Il faut que toi, tu prennes de l'eau et lui, du pain.

9. Vous (T. P.) parlez : il ne faut pas que vous parliez.

10. Vous (T. P.) prenez du pain : il ne faut pas que vous preniez de pain.

11. Vous (T. P.) attendez : il n'est pas utile que vous attendiez.

1. Traduisez

(gagner = ganar)

a) Je prends du pain
b) Il prend beaucoup de pain
c) Vous attendez le métro
d) Il ne parle pas espagnol

e) Nous gagnons
f) Vous gagnez (V.P.)
g) Eux, ils gagnent
h) Nous ne gagnons rien

2. Traduisez

(oublier = olvidar)

Il faut
a) que je gagne
b) que tu oublies
c) que vous parliez
d) que tu prennes le pain

e) qu'il prenne de l'eau
f) que vous gagniez (T.P.)
g) qu'elle n'oublie rien
h) qu'elle attende

3. Traduisez en V.P.

(trop de = demasiado)

a) Il est utile que, vous aussi, vous attendiez
b) Il n'est pas utile que vous preniez le soleil
c) Il ne faut pas que vous preniez trop de pain
d) Il ne faut pas que vous oubliez de parler espagnol

C 2 INFORMATIONS PRATIQUES

Soy el primero.
Tú eres el segundo.
Él es el tercero.
Ella es la cuarta.
Somos los quintos.
Sois los sextos.
Ud es el séptimo.

La octava maravilla del mundo
La novena sinfonía,
La décima vez.
El Rey Felipe Segundo.
Luis trece.
El capítulo quince.
El siglo veinte.

1. Traduisez

a) Tomo pan
b) Él toma mucho pan
c) Ud espera el metro
d) Él no habla español

e) Ganamos
f) Uds ganan
g) Ellos ganan
h) No ganamos nada

2. Traduisez

Hace falta :
a) que yo gane
b) que olvides
c) que Ud hable
d) que tomes el pan

e) que él tome agua
f) que ganéis
g) que ella no olvide nada
h) que ella espere

3. Traduisez en V. P.

a) Es útil que Uds también esperen.
b) Es útil que Uds no tomen el sol.
c) Hace falta que Uds no tomen demasiado pan.
d) Hace falta que Uds no olviden de hablar español.

C 4 TRADUCTION ET REMARQUES

Tous les ordinaux existent en espagnol, mais ils ne sont employés que jusqu'à « dixième »; au-delà, on utilise le cardinal.

Je suis le premier.
Toi, tu es le second.
Lui est le troisième.
Elle est la quatrième.
Nous sommes les cinquièmes.
Vous êtes les sixièmes (T. P.).
Vous êtes le septième.

La huitième merveille du monde.
La neuvième symphonie.
La dixième fois.
Le roi Philippe II.
Louis XIII.
Le chapitre quinze.
Le vingtième siècle.

A 1 PRÉSENTATION

Infinitif en **-er** : présent de l'indicatif

com	er	comer	*manger*
com	**o**	**como**	*je mange*
com	**es**	**comes**	*tu manges*
com	**e**	**come**	*il, elle mange*
com	**emos**	**comemos**	*nous mangeons*
com	**éis**	**coméis**	*vous mangez*
com	**en**	**comen**	*ils, elles mangent*

la cerveza	*la bière*	todo, a	*tout, e*
el chocolate	*le chocolat*	beber	*boire*
la leche	*le lait*	ahora	*maintenant*
la sopa	*la soupe*	nunca	*jamais*

A 2 APPLICATION

1. ¿Comes todo el chocolate? — Sí, como todo el chocolate.

2. ¿Come Ud la sopa? — No, no como nunca sopa.

3. ¿Coméis el chocolate? — No, no comemos el chocolate.

4. ¿Comen Uds sopa? — No, nunca comemos sopa.

5. No como nunca sopa. Nunca como sopa.

6. ¿Qué bebes ahora? — Ahora, bebo cerveza.

7. ¿Bebe Ud toda la leche? — Sí, bebo toda la leche.

8. ¿Bebéis cerveza? — No, no bebemos cerveza.

9. ¿Beben Uds leche? — No, nunca bebemos leche.

10. No bebo nunca cerveza. Nunca bebo cerveza.

11. No comes nada. Yo como mucho chocolate.

12. No bebes nada. Yo bebo mucha cerveza.

13. No bebéis nada. No coméis nada.

14. Nosotros bebemos mucho y comemos mucho.

A 3 REMARQUES

■ Rappel. Le « z » de **cerveza** se prononce comme le « th » anglais.

■ **Comer,** verbe régulier, a donc un « **o** » à la terminaison de la première personne du singulier de l'indicatif présent. Pour les autres personnes de l'indicatif présent, la voyelle de terminaison est celle de l'infinitif :

comer o, es, e, emos, éis, en

■ **Nunca** = jamais : s'il est placé avant le verbe, on supprime la négation :

no comemos nunca ou bien **nunca comemos.**

■ **Vous,** sans autre précision, correspond au **V. S.**

A 4 TRADUCTION

1. Manges-tu tout le chocolat? — Oui, je mange tout le chocolat.

2. Mangez-vous la soupe? — Non, je ne mange jamais de soupe.

3. Mangez-vous (T. P.) le chocolat? — Non, nous ne mangeons pas le chocolat.

4. Mangez-vous (V. P.) de la soupe? — Non, nous ne mangeons jamais de soupe.

5. Je ne mange jamais de soupe. Jamais je ne mange de soupe.

6. Que bois-tu maintenant? — Maintenant, je bois de la bière.

7. Buvez-vous tout le lait? — Oui, je bois tout le lait.

8. Buvez-vous (T. P.) de la bière? — Non, nous ne buvons pas de bière.

9. Buvez-vous (V. P.) du lait? — Non, nous ne buvons jamais de lait.

10. Je ne bois jamais de bière. Jamais je ne bois de bière.

11. Tu ne manges rien. Moi je mange beaucoup de chocolat.

12. Tu ne bois rien. Moi je bois beaucoup de bière.

13. Vous (T. P.) ne buvez rien. Vous ne mangez rien.

14. Nous, nous buvons beaucoup et nous mangeons beaucoup.

7 ■ Que él coma chocolate

B 1 PRÉSENTATION

Infinitif en **-er** : présent du subjonctif

vend	er	**vender**	*vendre*
vend	a	**venda**	*que je vende*
vend	as	**vendas**	*que tu vendes*
vend	a	**venda**	*qu'il, elle vende*
vend	amos	**vendamos**	*que nous vendions*
vend	áis	**vendáis**	*que vous vendiez*
vend	an	**vendan**	*qu'ils, elles vendent*

el cambio	*le changement*	la noche	*la nuit*
la casa	*la maison*	temer	*craindre*
el coche	*la voiture*	pero	*mais*

B 2 APPLICATION

1. ¿Es útil que vendas tu coche?
2. No, no es útil que yo venda mi coche.
3. ¿Vende Ud su casa? — ¿Hace falta?
4. No, no hace falta que yo venda mi casa.
5. ¿Temen Uds el cambio?
6. No, no tememos el cambio y no hace falta que temamos el cambio.
7. ¿Temen los niños la noche?
8. Sí, los niños temen la noche, pero no hace falta que teman la noche.
9. Ellos temen ahora que tú no vendas nunca tu coche.
10. No coméis nada, pero hace falta que comáis.
11. No bebéis nada, pero hace falta que bebáis.
12. Teméis el cambio, pero no hace falta que temáis.
13. Vendéis la casa, pero no hace falta que vendáis.

B 3 REMARQUES

■ Rappel. Le « **v** » de **vender** se prononce comme un « **b** ». « **Coche** », « **noche** » : le « **ch** » se prononce « **tch** ».

■ Quand l'infinitif d'un verbe est en **-ER**, la voyelle de la terminaison du subjonctif présent est toujours « **A** ». (p. 266).

■ Attention aux première et troisième personnes du singulier du subjonctif présent qui sont semblables : **venda**.
  Il convient de les différencier par le pronom personnel sujet s'il y a risque de confusion :
que yo venda, que él o ella venda, que Ud venda.

■ **Vous,** sans autre précision, correspond au **V. S.**

B 4 TRADUCTION

1. Est-il utile que tu vendes ta voiture?

2. Non, il n'est pas utile que je vende ma voiture.

3. Vendez-vous votre maison? — Le faut-il?

4. Non, il ne faut pas que je vende ma maison.

5. Craignez-vous (V. P.) le changement?

6. Non, nous ne craignons pas le changement et il ne faut pas que nous craignions le changement.

7. Les enfants craignent-ils la nuit?

8. Oui, les enfants craignent la nuit, mais il ne faut pas qu'ils craignent la nuit.

9. Eux, ils craignent maintenant que toi, tu ne vendes jamais ta voiture.

10. Vous (T. P.) ne mangez rien, mais il faut que vous mangiez.

11. Vous (T. P.) ne buvez rien, mais il faut que vous buviez.

12. Vous (T. P.) craignez le changement, mais il ne faut pas que vous craigniez.

13. Vous (T. P.) vendez la maison, mais il ne faut pas que vous vendiez.

1. Mettez « nunca »

avant le verbe
a) No bebemos nunca leche
b) No coméis nunca sopa

après le verbe
c) Nunca tememos
d) Nunca bebes

2. Traduisez

a) Je crains le changement
b) Il ne boit jamais de bière
c) Jamais ils ne boivent de lait

d) Vous mangez (T.P.) du pain
e) Vous craignez la nuit
f) Vous mangez (V.P.) tout le pain

3. Traduisez   (croire = creer)

a) Je crains que vous mangiez (V.P.) tout le chocolat
b) Nous craignons qu'ils boivent du vin de Málaga
c) Ils craignent que nous buvions de la bière
d) Tu crois que je vends ma maison?
e) Non, je ne crois pas que tu vendes ta maison

C 2 INFORMATIONS PRATIQUES

Una semana tiene siete días :

lunes	el lunes próximo
martes	el miércoles pasado
miércoles	los jueves
jueves	el martes por la mañana
viernes	el viernes por la tarde
sábado	el sábado por la noche
domingo	la semana próxima

1. Mettez « nunca »

avant le verbe
a) Nunca bebemos leche
b) Nunca coméis sopa

après le verbe
c) No tememos nunca
d) No bebes nunca

2. Traduisez

a) Temo el cambio
b) Él no bebe nunca cerveza
c) Nunca ellos beben leche

d) Coméis pan
e) Ud teme la noche
f) Uds comen todo el pan

3. Traduisez

a) Temo que Uds coman todo el chocolate.
b) Tememos que ellos beban vino de Málaga.
c) Ellos temen que bebamos cerveza.
d) ¿Crees que vendo mi casa?
e) No, no creo que vendas tu casa.

C 4 TRADUCTION ET REMARQUES

Une semaine a sept jours :

lundi	lundi prochain
mardi	mercredi dernier
mercredi	le jeudi
jeudi	mardi matin
vendredi	vendredi après-midi
samedi	samedi soir
dimanche	la semaine prochaine

(Attention : l'article singulier désigne un jour particulier ;
l'article pluriel, tous les jours dont il est question.)

8 ■ Él vive en el campo

A 1 PRÉSENTATION

Infinitif en **-ir** : présent de l'indicatif

viv	ir	vivir	*vivre, habiter*
viv	o	vivo	*j'habite*
viv	es	vives	*tu habites*
viv	e	vive	*il, elle habite*
viv	imos	vivimos	*nous habitons*
viv	ís	vivís	*vous habitez*
viv	en	viven	*ils, elles habitent*

el campo	*la campagne*	el piso	*l'appartement*
la carta	*la lettre*	el pueblo	*le village*
la ciudad	*la ville*	escribir	*écrire*
el libro	*le livre*	en	*dans, à (sans mouvement)*
el nombre	*le nom*	o	*ou*

A 2 APPLICATION

1. ¿Vives en una ciudad? — No, vivo en un pueblo.
2. Y él, ¿dónde vive? — Él vive en el campo.
3. ¿Viven Uds en un piso? — Sí, vivimos en un piso.
4. Y ellos, ¿dónde viven? — También viven en un piso.
5. ¿Vivís en un pueblo? — No, vivimos en una ciudad.
6. ¿Escribes una carta? — No, escribo un libro.
7. Y ellos, ¿qué escriben? — Ellos escriben una carta.
8. ¿Escribís un libro? — Sí, escribimos un libro.
9. ¿Escriben Uds su nombre? — Sí, lo escribimos.
10. ¿Viven Uds en un pueblo o en una ciudad?
11. ¿Viven Uds en una casa o en un piso?
12. ¿Escriben Uds una carta o un libro?
13. ¿Vosotros escribís? — Nosotros también escribimos.
14. ¿Vosotros vivís en la ciudad? — Nosotros también vivimos en la ciudad.

8 ■ Il habite à la campagne

A 3 REMARQUES

■ **Vivir,** verbe régulier, fait donc « **O** » à la terminaison de la 1ere personne du singulier du présent de l'indicatif.
Pour les autres personnes, la voyelle de terminaison est « **E** » comme dans **Comer,** sauf pour les 1ere et 2e personnes du pluriel où l'on a le « **I** » de l'infinitif.

■ Attention aux terminaisons :
Infinitif en

-AR	O,	A(s),	A,	A(mos),	Á(is),	A(n)
-ER	O,	E(s),	E,	E(mos),	É(is),	E(n)
-IR	O,	E(s),	E,	I(mos),	Í(s),	E(n)

A 4 TRADUCTION

1. Habites-tu dans une ville? — Non, j'habite dans un village.

2. Et lui, où habite-t-il? — Lui, il habite à la campagne.

3. Habitez-vous (V. P.) dans un appartement? — Oui, nous habitons dans un appartement.

4. Et eux, où habitent-ils? — Ils habitent aussi dans un appartement.

5. Habitez-vous (T. P.) dans un village? — Non, nous habitons dans une ville.

6. Écris-tu une lettre? — Non, j'écris un livre.

7. Et eux, qu'écrivent-ils? — Eux, ils écrivent une lettre.

8. Écrivez-vous (T. P.) un livre? — Oui, nous écrivons un livre.

9. Écrivez-vous (V. P.) votre nom? — Oui, nous l'écrivons.

10. Habitez-vous (V. P.) dans un village ou dans une ville?

11. Habitez-vous (V. P.) dans une maison ou dans un appartement?

12. Écrivez-vous (V. P.) une lettre ou un livre?

13. Vous (T. P.) écrivez? — Nous aussi, nous écrivons.

14. Vous (T. P.) habitez dans la ville? — Nous aussi nous habitons dans la ville.

8 ■ Que él viva en el campo

Infinitif en **-ir** : présent du subjonctif

abr	ir	abrir	ouvrir
abr	a	abra	que j'ouvre
abr	as	abras	que tu ouvres
abr	a	abra	qu'il, elle ouvre
abr	amos	abramos	que nous ouvrions
abr	áis	abráis	que vous ouvriez
abr	an	abran	qu'ils, elles ouvrent

la botella	la bouteille	la ventana	la fenêtre
los ojos	les yeux	permitir	permettre
la puerta	la porte	ser de	être à
el sobre	l'enveloppe	¡claro!	bien sûr!

B 2 APPLICATION

1. ¿Permite Ud que yo abra la puerta?
2. No, Señor, no permito que Ud abra la puerta.
3. Ahora, niños, permito que abráis los ojos.
4. ¿Permiten Uds que yo abra la ventana?
5. Sí, claro, permitimos que abras la ventana.
6. ¡Abrir la botella! Sí, permito que Ud abra la botella.
7. ¿De quién es el sobre? ¿Permite Ud que yo abra el sobre?
8. ¿Abrimos la puerta o la ventana?
9. Hace falta que abráis la ventana.
10. Ella no permite que abramos las dos.
11. Hace falta que vivamos en la ciudad y no en el campo.
12. Hace falta que escribamos una carta y no un libro.
13. Hace falta que abramos la ventana y no la puerta.
14. No hace falta que abramos el sobre.

8 ■ Qu'il habite à la campagne

■ Rappel : **Ojos** : le « **j** » (jota) se prononce comme le « ch » allemand de « Bach ».

Abrir : attention aux « **r** » qui sont toujours roulés.

■ Quand l'infinitif d'un verbe est en **-ir**, la voyelle de terminaison du subjonctif présent est toujours **-a** (p. 266).

■ **Vous,** sans autre précision, correspond au **V. S.**

B 4 TRADUCTION

1. Permettez-vous que j'ouvre la porte?

2. Non, Monsieur, je ne permets pas que vous ouvriez la porte.

3. Maintenant, mes enfants, je permets que vous ouvriez les yeux.

4. Permettez-vous (V. P.) que j'ouvre la fenêtre?

5. Oui, bien sûr, nous permettons que tu ouvres la fenêtre.

6. Ouvrir la bouteille! Oui, je permets que vous ouvriez la bouteille.

7. A qui est l'enveloppe? Permettez-vous que j'ouvre l'enveloppe?

8. Ouvrons-nous la porte ou la fenêtre?

9. Il faut que vous ouvriez (T. P.) la fenêtre.

10. Elle ne permet pas que nous ouvrions les deux.

11. Il faut que nous habitions à la ville et non à la campagne.

12. Il faut que nous écrivions une lettre et non un livre.

13. Il faut que nous ouvrions la fenêtre et non la porte.

14. Il ne faut pas que nous ouvrions l'enveloppe.

1. Traduisez

a) J'habite à la campagne
b) Il habite dans un village
c) Je n'écris pas un livre
d) Nous n'ouvrons pas la porte
e) Tu habites dans un appartemtent
f) Vous écrivez (T. P.) une lettre

2. Traduisez

(tout de suite = en seguida ;   il est indispensable = es indispensable que)

a) Est-il utile que j'ouvre maintenant cette fenêtre?
b) Faut-il que vous écriviez cet article tout de suite?
c) Est-il indispensable qu'ils habitent dans une ville?
d) Est-il indispensable que tu écrives ton nom?
e) Faut-il que vous habitiez (V. P.) dans un appartement?
f) Est-il indispensable que j'ouvre tout de suite la porte?
g) Est-il utile que tu ouvres cette enveloppe?
h) Il ne faut pas que tu ouvres tout de suite la bouteille.

C 2 INFORMATIONS PRATIQUES

El año tiene doce meses.
Cada mes tiene más o menos treinta días.
Estos doce meses son:

enero	julio
febrero	agosto
marzo	septiembre
abril	octubre
mayo	noviembre
junio	diciembre

El año se divide también en cuatro estaciones: el invierno, la primavera, el verano, el otoño.
¿Quién no conoce las « Cuatro estaciones » de Vivaldi?

1. Traduisez

a) Vivo en el campo
b) Vive en un pueblo
c) No escribo un libro
d) No abrimos la puerta
e) Vives en un piso
f) Escribís una carta

2. Traduisez

a) ¿Es útil que yo abra ahora esta ventana?
b) ¿Hace falta que Ud escriba este artículo en seguida?
c) ¿Es indispensable que ellos vivan en una ciudad?
d) ¿Es indispensable que escribas tu nombre?
e) ¿Hace falta que Uds vivan en un piso?
f) ¿Es indispensable que yo abra en seguida la puerta?
g) ¿Es útil que abras este sobre?
h) Hace falta que no abras en seguida la botella.

C 4 TRADUCTION

L'année a douze mois.
Chaque mois a environ trente jours.
Ces douze mois sont :

janvier	juillet
février	août
mars	septembre
avril	octobre
mai	novembre
juin	décembre

L'année se divise également en quatre saisons : l'hiver, le printemps, l'été, l'automne.
Qui ne connaît pas les « Quatre saisons » de Vivaldi?

9 ■ Me quedo en casa

A 1 PRÉSENTATION

quedarse (quedar + se)   *rester*

indicatif présent   *subjonctif présent*

me quedo	*je reste*	**me quede**	*que je reste*
te quedas	*tu restes*	**te quedes**	*que tu restes*
se queda	*il reste*	**se quede**	*qu'il reste*
nos quedamos	*nous restons*	**nos quedemos**	*que nous restions*
os quedáis	*vous restez*	**os quedéis**	*que vous restiez*
se quedan	*ils restent*	**se queden**	*qu'ils restent*

las cosas ajenas	*les affaires des autres*		
conviene que	*il convient que*	allí	*là*
enfadarse	*se fâcher*	aquí	*ici*
meterse en	*se mêler de*	de pie	*debout*

A 2 APPLICATION

Conviene que :

1. Me quedo en casa   yo me quede en casa.
2. Él se queda aquí   él se quede aquí.
3. Tú, te quedas allí.   tú, te quedes allí.
4. Ud se queda de pie.   Ud se quede de pie.
5. Os quedáis allí.   os quedéis allí.
6. No me meto en nada.   yo no me meta en nada.
7. Te metes en cosas ajenas.   te metas en cosas ajenas.
8. Ellos se meten en todo.   ellos se metan en todo.
9. No nos metemos en nada.   no nos metamos en nada.
10. Os metéis en cosas ajenas.   os metáis en cosas ajenas.
11. Te enfadas.   te enfades.
12. No os enfadáis.   no os enfadéis.
13. No nos enfadamos.   no nos enfademos.
14. Ellos se enfadan.   no se enfaden.

A 3 REMARQUES

■ **Quedarse** : rester. Le verbe est pronominal en espagnol, mais pas en français. Notez que le pronom personnel « **se** » est placé après l'infinitif et y est attaché. Cette particularité se retrouvera au gérondif et à l'impératif, comme en français (dis-**moi,** fais-**le**).

Les pronoms des verbes pronominaux sont :

me — te — se — nos — os — se

■ Les verbes **quedar** et **enfadar** sont réguliers et se conjuguent comme **tomar** (V. leçon 6).

■ Le verbe **meter** est régulier et se conjugue comme **comer** (V. leçon 7).

■ **conviene que** = il convient que, est suivi du subjonctif présent.

■ **Vous,** sans autre précision, correspond au **V. S.**

A 4 TRADUCTION

	Il convient que :
1. Je reste à la maison.	je reste à la maison.
2. Il reste ici.	il reste ici.
3. Toi, tu restes là.	toi, tu restes là.
4. Vous restez debout.	vous restiez debout
5. Vous restez là (T. P.).	vous restiez là (T. P.).
6. Je ne me mêle de rien.	je ne me mêle de rien.
7. Tu te mêles des affaires des autres.	tu te mêles des affaires des autres.
8. Ils se mêlent de tout.	ils se mêlent de tout.
9. Nous ne nous mêlons de rien.	nous ne nous mêlions de rien.
10. Vous vous mêlez des affaires des autres (T. P.).	vous vous mêliez des affaires des autres.
11. Tu te fâches.	tu te fâches.
12. Vous ne vous fâchez pas (T. P.).	vous ne vous fâchiez pas.
13. Nous ne nous fâchons pas.	nous ne nous fâchions pas.
14. Eux, ils se fâchent.	eux, ils se fâchent.

9 ■ No me gusta que Uds se levanten

B 1 PRÉSENTATION

gustar	plaire, aimer
a mí, me gusta la vida	*moi, j'aime la vie*
a ti, te gustan los recuerdos	*toi, tu aimes les souvenirs*
a él, le gusta el vino	*lui, il aime le vin*
a Ud también, le gusta	*vous aussi, vous aimez*
a nosotros, no nos gusta	*nous, nous n'aimons pas*
a vosotros, os gusta la leche	*vous, vous aimez le lait*
a ellas, también les gusta	*elles, elles aiment aussi*
a Uds, les gusta el sol	*vous, vous aimez le soleil*

las ideas	*les idées*	cansarse	*se fatiguer*
el mar	*la mer*	inquietarse	*s'inquiéter*
los recuerdos	*les souvenirs*	levantarse	*se lever*
la verdad	*la vérité*	los demás	*les autres*

B 2 APPLICATION

1. A mí, me gusta la verdad
2. A ti, te gusta el mar.
3. Nos gustan los recuerdos.
4. A Uds, les gustan las ideas.
5. No te gustan las ideas.
6. A mí, no me gusta el mar.
7. Os gusta la verdad.
8. Me gustan los recuerdos.

9. No me gusta que Uds se levanten.
10. A ellos no les gusta que os levantéis.
11. A ti, no te gusta cansarte y no te gusta que los demás se cansen.
12. A nosotros, no nos gusta que vosotros os inquietéis.
13. A Juan, no le gusta meterse en las cosas ajenas y no le gusta que los demás se metan en sus cosas.
14. No te levantas y te enfadas. No me gusta que no te levantes y que te enfades.

9 ■ Je n'aime pas que vous vous leviez

B 3 REMARQUES

■ **Verdad** : le « **d** » final se prononce comme le « th » anglais : [verdaZ]. On peut aussi ne pas le prononcer du tout : [verda].

■ **Gustar** n'existe qu'aux 3e personnes du singulier et du pluriel, car il se construit à la manière de « plaire » : j'aime la vie = la vie me plaît.
Aussi, le verbe **gustar** s'accorde-t-il toujours avec le nom qui suit :
a mí, me gusta *la vida* : le nom est singulier, donc le verbe est au singulier.
a mí, me gustan *los recuerdos* : le nom est pluriel, donc le verbe est au pluriel.
Les groupes **a mí, a él**, etc. ne sont pas obligatoires. Utilisés ils marquent l'insistance ou évitent la confusion.

■ **Gustar** peut être suivi de l'infinitif : **me gusta cantar** j'aime chanter ou du subjonctif : **me gusta que Ud cante** j'aime que vous chantiez.

■ **Vous,** sans autre précision, correspond au **V. S.**

B 4 TRADUCTION

1. Moi, j'aime la vérité.
2. Toi, tu aimes la mer.
3. Nous aimons les souvenirs.
4. Vous aimez (V. P.) les idées.
5. Tu n'aimes pas les idées.
6. Moi, je n'aime pas la mer.
7. Vous aimez (T. P.) la vérité.
8. J'aime les souvenirs.

9. Je n'aime pas que vous vous leviez (V. P.).

10. Eux, ils n'aiment pas que vous vous leviez (T. P.).

11. Toi, tu n'aimes pas te fatiguer et tu n'aimes pas que les autres se fatiguent.

12. Nous, nous n'aimons pas que vous vous inquiétiez (T. P.).

13. Jean n'aime pas se mêler des affaires des autres et il n'aime pas que les autres se mêlent de ses affaires.

14. Tu ne te lèves pas et tu te fâches. Je n'aime pas que tu ne te lèves pas et que tu te fâches.

1. Traduisez

a) Moi, j'aime rester à la maison
b) Toi, tu aimes prendre le métro
c) Elle, elle aime prendre le soleil tous les jours
d) Nous, nous aimons boire beaucoup de bière
e) Vous, vous aimez (T. P.) vivre à la campagne
f) Eux, ils aiment ce que les autres n'aiment pas
g) A vous, cela vous plait d'attendre?
h) Vous, vous aimez (V. P.) rester debout?

2. Traduisez (n'est-ce pas? = ¿verdad?)

a) J'aime que vous restiez ici
b) Tu aimes te mêler des affaires des autres, n'est-ce pas?
c) Il n'aime pas que tu te mêles de tout, n'est-ce pas?
d) Jean n'aime pas que nous restions debout
e) Lui et moi, nous aimons que les autres ne se mêlent pas de nos affaires

C 2 INFORMATIONS PRATIQUES

Encuentro con un amigo, en la calle

« Buenos días, Felipe. »
« Hola, buenos días. ¿Cómo estás? »
« Bien, ¿y tú? »
« Muy bien, gracias. ¿Qué haces? »
« Bueno, nada. Doy una vuelta. »
« ¿Cómo están tus padres? »
« Regular. Con la edad que tienen, ¿sabes? »
« ¡Qué lástima! Les saludarás. »
« De tu parte. »
« Bueno, hasta luego. »
« Adiós. »

1. Traduisez

a) A mí, me gusta quedarme en casa.
b) A ti, te gusta tomar el metro.
c) A ella, le gusta tomar el sol todos los días.
d) A nosotros, nos gusta beber mucha cerveza.
e) A vosotros, os gusta vivir en el campo.
f) A ellos, les gusta lo que a los demás no les gusta.
g) ¿A Ud, le gusta esperar?
h) ¿A Uds, les gusta quedarse de pie?

2. Traduisez

a) Me gusta que Ud se quede aquí.
b) Te gusta meterte en las cosas ajenas, ¿verdad?
c) No le gusta que te metas en todo, ¿verdad?
d) A Juan, no le gusta que nos quedemos de pie.
e) A él y a mí, nos gusta que los demás no se metan en nuestras cosas.

C 4 TRADUCTION

Rencontre d'un ami dans la rue

« Bonjour, Philippe. »
« Oh! Bonjour. Comment vas-tu? »
« Bien, et toi? »
« Très bien, merci. Qu'est-ce que tu fais? »
« Bah! Rien. Je fais un tour. » (Doy = indicatif présent irrégulier de **dar** = donner).
« Comment vont tes parents? »
« Comme ci, comme ça. Avec l'âge qu'ils ont, tu sais? »
« Quel dommage! Tu leur diras bien des choses. » (M. à m. : tu les salueras).
« Je n'y manquerai pas. » (M. à m. : de ta part).
« Bon. A plus tard. »
« Salut. »

10 ■ Llame Ud un taxi

A 1 PRÉSENTATION

Impératif affirmatif et négatif (I)

	llamar	appeler		
V.S.	**llame Ud**	appelez	**no llame Ud**	n'appelez pas
V.P.	**llamen Uds**	appelez	**no llamen Uds**	n'appelez pas
1 p.	**llamemos**	appelons	**no llamemos**	n'appelons pas

la americana	la veste	comprender	comprendre
la maleta	la valise	llenar	remplir
la realidad	la réalité	mirar	regarder
un taxi	un taxi	ocurrir	arriver, se passer
un vaso	un verre	tratar de	essayer de
aceptar	accepter	lo que	ce qui
comprar	acheter	luego	ensuite

A 2 APPLICATION

1. Primero, llame Ud un taxi, luego tome su maleta.
2. Compre Ud una americana, pero no compre aquí.
3. Llene Ud este vaso, pero no llene el mío.
4. Llenen Uds esta maleta, pero no llenen ésa.
5. Miremos lo que ha ocurrido.
6. Miren Uds la casa, no miren los coches.
7. Traten Uds de comprender, por favor.
8. No aceptemos lo que ocurre sin comprender.
9. Trate Ud de comprender y acepte la realidad.
10. Mire Ud, y acepte lo que ocurre.
11. No compre Ud todo lo que mira.
12. ¿Llenamos los vasos? ¡Llenemos los vasos!
13. No compren Uds lo que ellos compran.

A 3 REMARQUES

■ **Taxi** : le « **x** » entre deux voyelles se prononce k/ss : [tak-ssi].
Llamar : le « **ll** » [l mouillé] se prononce « ly » comme dans « lieu ».

■ L'impératif espagnol a cinq personnes différentes. Nous voyons ici les deux personnes correspondant au vouvoiement et la 1re personne du pluriel :

> **V.S.** = **v**ouvoiement **s**ingulier
> **V.P.** = **v**ouvoiement **p**luriel
> **1 p.** = 1re personne du pluriel.

Ces trois formes sont empruntées au subjonctif présent, aussi bien pour l'affirmatif que pour le négatif.
Ce n'est donc que la présence ou l'absence de la négation NO qui différencie l'impératif affirmatif de l'impératif négatif, comme en français :

> **llame Ud**   **no llame Ud**
> appelez   n'appelez pas

■ Rappelons que « **vous** » sans autre précision correspond à **V. S.**

A 4 TRADUCTION

1. Premièrement, appelez un taxi, puis prenez votre valise.
2. Achetez une veste, mais n'achetez pas ici.
3. Remplissez ce verre, mais ne remplissez pas le mien.
4. (V. P.) Remplissez cette valise, mais ne remplissez pas celle-ci.
5. Voyons (regardons) ce qui s'est passé.
6. (V. P.) Regardez la maison, ne regardez pas les voitures.
7. (V. P.) Essayez de comprendre, s'il vous plaît.
8. N'acceptons pas ce qui se passe sans comprendre.
9. Essayez de comprendre et acceptez la réalité.
10. Regardez, et acceptez ce qui arrive.
11. N'achetez pas tout ce que vous regardez.
12. Nous remplissons les verres? Remplissons les verres!
13. N'achetez pas (V. P.) ce qu'ils achètent.

B 1 PRÉSENTATION

Impératif affirmatif et négatif (I)

leer	*lire*		
V.S. **lea Ud**	*lisez*	**no lea Ud**	*ne lisez pas*
V.P. **lean Uds**	*lisez*	**no lean Uds**	*ne lisez pas*
1 p. **leamos**	*lisons*	**no leamos**	*ne lisons pas*
abrir	*ouvrir*		
V.S. **abra Ud**	*ouvrez*	**no abra Ud**	*n'ouvrez pas*
V.P. **abran Uds**	*ouvrez*	**no abran Uds**	*n'ouvrez pas*
1 p. **abramos**	*ouvrons*	**no abramos**	*n'ouvrons pas*

el anuncio	*l'annonce*	afirmar	*affirmer*
la novela	*le roman*	añadir	*ajouter*
el paquete	*le paquet*	conceder	*accorder*
el permiso	*la permission*	responder	*répondre*
la revista	*la revue*	esto	*ceci, cela*

B 2 APPLICATION

A

1. Lea Ud la novela.
2. No leamos esta revista.
3. Lean Uds esta novela.
4. No lea Ud esta revista.
5. Responda Ud a esta carta.
6. Respondamos a este anuncio.
7. No respondan Uds a la carta.
8. No conceda Ud el permiso.
9. Concedan Uds el permiso.

B

1. Abra Ud el paquete.
2. No abra Ud el sobre.
3. Abramos la ventana.
4. No abran Uds la puerta.
5. No abramos el sobre.
6. Añada Ud un vaso.
7. No añadan Uds nada.
8. No crea Ud esto.
9. Creamos lo que afirma.

10. No añada Ud nada a lo que respondemos.
11. No lea Ud lo que añadimos.
12. No concedamos el permiso de abrir los demás paquetes.

B 3 REMARQUES

■ Rappel **añadir : ñ** [n tilde] se prononce [gne] comme dans Espa*gne*.

■ Les impératifs des verbes terminés en **-er** et en **-ir** sont semblables. Les formes des vouvoiements singulier et pluriel et de la 1er personne du pluriel sont empruntées au subjonctif présent, aussi bien pour l'affirmatif que pour le négatif.
Là encore, seule la présence ou l'absence de la négation NO différencie la forme affirmative de la forme négative :

lea Ud	**no lea Ud**
lisez	ne lisez pas

■ **Vous** sans autre précision correspond à **V. S.**

B 4 TRADUCTION

A

1. Lisez le roman.
2. Ne lisons pas cette revue.
3. Lisez (V. P.) ce roman.
4. Ne lisez pas cette revue.
5. Répondez à cette lettre.
6. Répondons à cette annonce.
7. Ne répondez pas (V. P.) à la lettre.
8. N'accordez pas la permission.
9. Accordez (V. P.) la permission.

B

1. Ouvrez le paquet.
2. N'ouvrez pas l'enveloppe.
3. Ouvrons la fenêtre.
4. N'ouvrez pas (V. P.) la porte.
5. N'ouvrons pas l'enveloppe.
6. Ajoutez un verre.
7. N'ajoutez (V. P.) rien.
8. Ne croyez pas cela.
9. Croyons ce qu'il affirme.

10. N'ajoutez rien à ce que nous répondons.
11. Ne lisez pas ce que nous ajoutons.
12. N'accordons pas la permission d'ouvrir les autres paquets.

1. Traduisez en V. S.   **en V.P. (les mêmes phrases)**

a) Essayez de comprendre   e) ....
b) N'ajoutez rien   f) ....
c) Appelez un taxi   g) ....
d) Lisez ce roman   h) ....

2. Traduisez   (cela lui est égal = le da igual)

a) Ouvrons ou n'ouvrons pas la lettre, cela lui est égal
b) Croyez cela ou ne croyez pas, cela lui est égal (V.P.)
c) Lisons ou ne lisons pas cette revue, cela lui est égal
d) Acceptons ou n'acceptons pas ce qui arrive, cela lui est égal

3. Traduisez   (quelque chose = algo)

a) Vous lisez ce roman? Lisez ce roman
b) Nous appelons un taxi? Appelons un taxi
c) Vous remplissez (V. P.) ce verre? Remplissez ce verre
d) Vous ajoutez quelque chose? Ajoutez quelque chose
e) Vous essayez (V. P.) de comprendre? Essayez de comprendre
f) Nous répondons à cette lettre? Répondez à cette lettre
g) Nous accordons la permission? Accordons la permission

C 2 INFORMATIONS PRATIQUES

Para ir de un lugar a otro

De aquí, para ir a las Galerías Preciados :

Camine Ud hasta la calle de Alcalá.
Utilice Ud el paso de peatones para cruzar.
Tome Ud después a mano izquierda.
Ande Ud hasta la Puerta del Sol.
De paso, mire Ud el edificio del Ministerio de Gobernación.
Luego, tome Ud a mano derecha por una calle peatonal.
Unos metros más, ya está, es aquí.
Entre Ud en las Galerías Preciados.

1. Traduisez en V. S.

en V.P.

a) Trate Ud de compren-
der.

e) Traten Uds de compren-
der.

b) No añada Ud nada.

f) No añadan Uds nada.

c) Llame Ud un taxi.

g) Llamen Uds un taxi.

d) Lea Ud esta novela.

h) Lean Uds esta novela.

2. Traduisez

a) Abramos o no abramos la carta, le da igual.

b) Crean Uds esto o no crean esto, le da igual.

c) Leamos o no leamos esta revista, le da igual.

d) Aceptemos o no aceptemos lo que ocurre, le da igual.

3. Traduisez

a) ¿Lee Ud esta novela?   Lea Ud esta novela.

b) ¿Llamamos un taxi?   Llamemos un taxi.

c) ¿Llenan Uds este vaso?   Llenen Uds este vaso.

d) ¿Añade Ud algo?   Añada Ud algo.

e) ¿Tratan Uds de com-   Traten Uds de comprender.
prender?

f) ¿Respondemos a esta   Respondamos a esta carta.
carta?

g) ¿Concedemos el   Concedamos el permiso.
permiso?

C 4 TRADUCTION

Pour aller d'un endroit à un autre

D'ici pour aller aux Grands Magasins « Preciados » :

Marchez jusqu'à la rue d'Alcala.
Utilisez le passage clouté pour traverser.
Prenez ensuite à gauche.
Marchez jusqu'à la Porte du Soleil.
Au passage, regardez l'immeuble du ministère de l'Intérieur.
Ensuite, prenez à droite dans une rue piétonne.
Quelques mètres encore, ça y est, c'est ici.
Entrez dans les Grands Magasins « Preciados ».

11 ■ Cambia tu dinero

Impératif affirmatif et négatif (II)

cambiar *changer*

T.S.	**cambia**	*change*	**no cambies** *ne change pas*
T.P.	**cambiad**	*changez*	**no cambiéis** *ne changez pas*

las costumbres	*les habitudes*	el peso	le « peso » *(unité
el dinero	*l'argent*		monétaire du Mexique)*
el dólar	*le dollar*	el traje	*le costume*
el franco	*le franc*	gastar	*dépenser*
el modo de vivir	*le mode de vie*	algo	*quelque chose*

A 2 APPLICATION

1. Cambia tu dinero y luego, compra algo.
2. No cambies tu dinero y no compres nada.
3. Cambiad francos por dólares y esperad.
4. No cambiéis francos por dólares y no esperéis.
5. Compra este traje, no compres ése.
6. No compres este traje, compra ése.
7. Ahora comprad pesos y gastad los dólares que quedan.
8. No compréis pesos y no gastéis los dólares que quedan.
9. Si cambiáis vuestro modo de vivir, cambiad también vuestras costumbres.
10. Si no cambiáis vuestro modo de vivir, no cambiéis nada.
11. Cambia dinero, pero no cambies todos tus francos.
12. Gasta pesos, pero no gastes tus dólares.
13. Comprad una americana, pero no compréis dos.

A 3 REMARQUES

■ T.S. : **T**utoiement **S**ingulier : on s'adresse à une seule personne que l'on tutoie.

T.P. : **T**utoitement **P**luriel : on s'adresse à plusieurs personnes qui, prises séparément, sont tutoyées.

■ A la forme affirmative, l'impératif T.S. est la deuxième personne du singulier de l'indicatif présent moins le « s »

cambiar   cambias → cambia

■ L'impératif T.P. correspond à l'infinitif moins R plus D

cambiar   cambia + D = cambiad

■ Les impératifs T.S. et T.P. négatifs sont les **deuxièmes personnes du singulier et du pluriel du subjonctif présent** précédées de **no**

cambiar $\begin{cases} \text{cambies} & \text{no cambies} \\ \text{cambiéis} & \text{no cambiéis} \end{cases}$

A 4 TRADUCTION

(Les « vous » sont des tutoiements pluriels)

1. Change ton argent et ensuite, achète quelque chose.
2. Ne change pas ton argent et n'achète rien.
3. Changez des francs contre des dollars et attendez.
4. Ne changez pas des francs contre des dollars et n'attendez pas.
5. Achète ce costume, n'achète pas celui-ci.
6. N'achète pas ce costume, achète celui-là.
7. Maintenant achetez des « pesos » et dépensez les dollars qui restent.
8. N'achetez pas de « pesos » et ne dépensez pas les dollars qui restent.
9. Si vous changez votre mode de vie, changez aussi vos habitudes.
10. Si vous ne changez pas votre mode de vie, ne changez rien.
11. Change de l'argent, mais ne change pas tous tes francs.
12. Dépense des « pesos », mais ne dépense pas tes dollars.
13. Achetez une veste, mais n'(en) achetez pas deux.

11 ■ Aprende el Código

B 1 PRÉSENTATION

Impératif affirmatif et négatif (II)

aprender *apprendre*

T.S.	**aprende** *apprends*	**no aprendas**	*n'apprends pas*
T.P.	**aprended** *apprenez*	**no aprendáis**	*n'apprenez pas*

asistir *assister*

T.S.	**asiste** *assiste*	**no asistas**	*n'assiste pas*
T.P.	**asistid** *assistez*	**no asistáis**	*n'assistez pas*

el calor	*la chaleur*	el sol	*le soleil*
el Código de la Circulación		me da igual	*ça m'est égal*
le code de la route		de memoria	*par cœur*
el espectáculo	*le spectacle*	sin	*sans*

B 2 APPLICATION

1. Aprende el Código de la Circulación, por favor.
2. No aprendas todo esto de memoria.
3. Asiste a este espectáculo con tu hermano.
4. No asistas a este espectáculo sin tu hermano.
5. Aprended o no aprendáis, me da igual.
6. Asistid o no asistáis, me da igual.
7. No temáis nada de mí: soy vuestro amigo.
8. Temed y cambiad vuestro modo de vivir.
9. Temed el sol pero no temáis el calor.
10. Escribe tu nombre, pero no escribas el mío.
11. Aprende o no aprendas, es igual.
12. Asiste o no asistas, es igual.
13. Teme o no temas, es igual.
14. Escribid o no escribáis, es igual.

74

B 3 REMARQUES

Rappel. T.S. = Tutoiement Singulier
T.P. = Tutoiement Pluriel

■ Les impératifs T.S. et T.P. affirmatifs des verbes en -**er** et en -**ir** se construisent d'une façon identique :

■ L'impératif T.S. est la **deuxième personne du singulier de l'indicatif présent moins le « s »**

aprender	aprendes	→	aprende
asistir	asistes	→	asiste

L'impératif T.P. correspond à l'infinitif moins r plus d :

aprender	aprende + d	= aprended
asistir	asisti + d	= asistid

■ Les impératifs **T.S.** et **T.P.** négatifs sont les **deuxièmes personnes du singulier et du pluriel du subjonctif présent** précédées de **no**

aprender	{ aprendas	→	no aprendas
	{ aprendáis	→	no aprendáis
asistir	{ asistas	→	no asistas
	{ asistáis	→	no asistáis

B 4 TRADUCTION

1. Apprends le code de la route, s'il te plaît.
2. N'apprends pas tout cela par cœur.
3. Assiste à ce spectacle avec ton frère.
4. N'assiste pas à ce spectacle sans ton frère.
5. Apprenez ou n'apprenez pas, ça m'est égal. (T.P.).
6. Assistez ou n'assistez pas, ça m'est égal. (T.P.)
7. Ne craignez rien de moi : je suis votre ami. (T.P.)
8. Craignez et changez votre façon de vivre. (T.P.)
9. Craignez le soleil, mais ne craignez pas la chaleur. (T.P.)
10. Écris ton nom, mais n'écris pas le mien.
11. Apprends ou n'apprends pas, c'est pareil.
12. Assiste ou n'assiste pas, c'est pareil.
13. Crains ou ne crains pas, c'est pareil.
14. Écrivez ou n'écrivez pas, c'est pareil. (T.P.)

1. Traduisez

a) S'il te plaît, change
b) S'il vous plaît, n'assistez pas à cela
c) Changez votre argent
d) Changez ou ne changez pas, cela m'est égal
e) Change ou ne change pas, cela m'est égal

2. Traduisez (Les « vous » sont des tutoiements pluriels)

a) Tu n'assistes pas au spectacle? N'assiste pas au spectacle.
b) Vous changez vos dollars? Changez vos dollars.
c) Tu apprends l'anglais? Apprends l'anglais.
d) Tu ne changes pas de mode de vie? Ne change pas de mode de vie.
e) Vous apprenez le français? Apprenez le français.
f) Vous assistez au spectacle? Assistez au spectacle.
g) Tu ne crains pas le changement? Ne crains pas le changement.
h) Vous n'écrivez pas votre nom? N'écrivez pas votre nom.
i) Vous n'apprenez pas l'anglais? N'apprenez pas l'anglais.
j) Tu n'écris pas ton nom? N'écris pas ton nom.

C 2 INFORMATIONS PRATIQUES

Cómo saludar

Buenos días
Buenas tardes   ¿Qué tal?
Buenas noches

Hola
Muy buenas

Adiós
Hasta mañana
Hasta luego
Hasta la próxima semana

Contento de verte de nuevo
Le presento a mi marido.
Encantado. Mucho gusto.

1. Traduisez

a) Por favor, cambia
b) Por favor, no asistáis a esto
c) Cambiad vuestro dinero
d) Cambiad o no cambiéis, me da igual
e) Cambia o no cambies, me da igual

2. Traduisez

a) ¿No asistes al espectáculo? No asistas al espectáculo.
b) ¿Cambiáis vuestros dólares? Cambiad vuestros dólares.
c) ¿Aprendes el inglés? Aprende el inglés.
d) ¿No cambias de modo de vivir? No cambies de modo de vivir.
e) ¿Aprendéis el francés? Aprended el francés.
f) ¿Asistís al espectáculo? Asistid al espectáculo.
g) ¿No temes el cambio? No temas el cambio.
h) ¿No escribís vuestro nombre? No escribáis vuestro nombre.
i) ¿No aprendéis el inglés? No aprendáis el inglés.
j) ¿No escribes tu nombre? No escribas tu nombre.

C 4 TRADUCTION ET REMARQUES

Comment saluer

Bonjour (jusqu'au moment du déjeuner).
Bonjour (jusqu'à la tombée du jour).   Comment ça va?
Bonsoir.

Salut! (les 2 formes espagnoles sont familières).

Au revoir.
A demain.
A tout à l'heure. A plus tard.
A la semaine prochaine.

Content de te revoir.
Je vous présente mon mari.
Enchanté. Très heureux.

12 ■ ¿Con qué sueña Ud?

A 1 PRÉSENTATION

contar *compter, raconter*

Indicatif présent		Subjonctif présent	
cuento	*je compte*	**cuente**	*que je compte*
cuentas	*tu comptes*	**cuentes**	*que tu comptes*
cuenta	*il compte*	**cuente**	*qu'il compte*
contamos	*nous comptons*	**contemos**	*que nous comptions*
contáis	*vous comptez*	**contéis**	*que vous comptiez*
cuentan	*ils comptent*	**cuenten**	*qu'ils comptent*

un chiste	*une histoire drôle*	costar	*coûter*
el fútbol	*le foot-ball*	encontrar	*trouver*
el viaje	*le voyage*	jugar	*jouer*
sensacional	*formidable*	recordar	*se rappeler*
acordarse de	*se souvenir de*	cuánto	*combien*
		lejos	*loin*
		sólo	*seulement*

A 2 APPLICATION

1. ¡Tú cuentas setenta! — Yo cuento sólo sesenta.
2. ¡Cómo cuenta Ud los chistes!
3. ¿Recuerda Ud sus ojos? — Sí, me acuerdo de sus ojos.
4. ¿Cómo encuentras a esta chica? — La encuentro sensacional.
5. ¿Cuánto cuesta esto? — Cuesta cien pesetas.
6. ¿Juegas al fútbol? — No, no juego al fútbol.
7. ¿Con qué sueña Ud? — Sueño con estar lejos.
8. Es fácil que Uds no se acuerden de mí.
9. No es bueno que siempre juegues al fútbol.
10. No creo que Uds lo encuentren fácilmente.
11. No es indispensable que Uds recuerden todos los viajes.
12. Sólo hace falta que ella se encuentre lejos.
13. Me cuesta creer que él no se acuerde de mí.

12 ■ De quoi rêvez-vous?

■ **Rappel. Viaje** le « **j** » [jota] se prononce comme le « ch » allemand de Bach.
Sensacional. attention aux deux « **s** » qui se prononcent comme les deux « s » du français « cassé », et au « c » [Z] qui est proche du « th » anglais.

■ Un verbe qui diphtongue est un verbe dont la dernière voyelle du radical se modifie à certaines personnes. Cette diphtongue — ici, O qui devient UE — ne peut se produire que si le O est accentué ; ce O n'est accentué **qu'aux trois premières personnes du singulier et à la troisième personne du pluriel des présents de l'indicatif et du subjonctif.** (Pensez au verbe **venir** en français.) (p. 268)
Aux autres personnes et temps, ces verbes sont réguliers (p. 267).
Pour les présents (Ind. et Subj.), on a donc ceci :
contar   ue -ue -ue -o -o -ue

JUGAR se conjugue comme **CONTAR** : **u** devient **ue**.
■ Attention à l'impératif de ce verbe (p. 285).

■ **Vous,** sans autre précision, correspond au **V. S.**

1. Tu comptes 70 ! — Moi, je compte seulement 60.
2. Comme vous racontez les histoires !
3. Vous rappelez-vous ses yeux ? — Oui, je me souviens de ses yeux.
4. Comment trouves-tu cette fille ? — Je la trouve formidable.
5. Combien coûte ceci ? — Cela coûte 100 pesètes.
6. Joues-tu au foot-ball ? — Non, je ne joue pas au foot-ball.
7. De quoi rêvez-vous ? — Je rêve d'être loin.
8. Il est probable que vous ne vous souveniez pas (V. P.) de moi.
9 Il n'est pas bon que tu joues toujours au foot-ball.
10. Je ne crois pas que vous le trouviez (V. P.) facilement.
11. Il n'est pas indispensable que vous vous rappeliez (V. P.) tous les voyages.
12. Il faut seulement qu'elle soit (se trouve) loin.
13. Ça me coûte de penser qu'il ne se souvienne pas de moi.

12 ■ ¿Puedes volver?

B 1 PRÉSENTATION

poder   *pouvoir*

Indicatif présent		Subjonctif présent	
puedo	*je peux*	**pueda**	*que je puisse*
puedes	*tu peux*	**puedas**	*que tu puisses*
puede	*il peut*	**pueda**	*qu'il puisse*
podemos	*nous pouvons*	**podamos**	*que nous puissions*
podéis	*vous pouvez*	**podáis**	*que vous puissiez*
pueden	*ils peuvent*	**puedan**	*qu'ils puissent*

el perfume	*le parfum*	torcer	*tourner*
barato	*bon marché*	volver	*revenir, rentrer*
devolver	*rendre, restituer*	volver a	*(refaire ce qui*
moverse	*s'agiter, remuer*		*a déjà été fait)*
oler	*sentir(une odeur)*	cuanto antes	*au plus vite*
soler	*avoir l'habitude*	a la derecha	*à droite*
		a la izquierda	*à gauche*

B 2 APPLICATION

1. ¿Puedes volver? — Sí, claro, puedo volver.
2. ¿Vuelven ellos a cantar? — Sí, vuelven a cantar.
3. ¿Cuándo vuelve Ud? — Vuelvo cuanto antes.
4. ¡Tú sueles cenar mucho! Yo suelo cenar poco.
5. Esta chica siempre se mueve, ¿verdad?
6. ¡Cómo huele aquí! Huele a perfume barato.
7. ¿Tuerce Ud a la derecha? — No, tuerzo a la izquierda.
8. ¿Devuelve Ud este libro? — No, no devuelvo este libro.
9. No es indispensable que ellas vuelvan ahora.
10. No creo que ellas lo devuelvan fácilmente.
11. No es posible que ellas se muevan siempre.
12. No es posible que ellos huelan tan mal.
13. No hace falta que Ud devuelva ahora este libro.
14. Me cansa mucho que siempre ella y él se muevan.

B 3 REMARQUES

■ Rappel : **Torcer:** attention au « r » roulé suivi du « c » [Z]. Attention également à la modification orthographique de **torcer:** le « c » devient « z » devant un « o » ou un « a » : **(tuerzo, tuerza)**

■ **Oler:** le « o » devient « ue », mais en espagnol un mot ne peut pas commencer par une diphtongue ; aussi met-on un « h » devant le « ue »: oler = huelo.
Le « o » du radical de ces verbes se transforme donc en « ue » aux **trois premières personnes du singulier et à la troisième personne du pluriel des présents de l'indicatif et du subjonctif** (p. 268).
Aux autres personnes et autres temps, ces verbes sont réguliers. Pour les présents (ind. et subj.), on a donc ceci :

> **soler**   ue -ue -ue -o -o -ue

■ Attention à l'impératif de ces verbes (p. 285).

■ **Soler** signifie « **avoir l'habitude de** », il est souvent traduit par un adverbe qui marque l'habitude :
suelo = d'habitude, je... sueles = généralement, tu ...

■ Rien n'indique qu'un verbe diphtongue : c'est l'usage ou le dictionnaire qui vous l'apprendra.

B 4 TRADUCTION

1. Peux-tu revenir? — Oui, bien sûr, je peux revenir.
2. Rechantent-ils? — Oui, ils rechantent.
3. Quand revenez-vous? — Je reviens au plus vite.
4. D'habitude, tu dînes beaucoup! — Généralement, moi je dîne peu.
5. Cette fille s'agite toujours, n'est-ce pas?
6. Comme ça sent ici! Ça sent le parfum bon marché.
7. Tournez-vous à droite? — Non, je tourne à gauche.
8. Rendez-vous ce livre? — Non, je ne rends pas ce livre.
9. Il n'est pas indispensable qu'elles rentrent maintenant.
10. Je ne crois pas qu'elles le rendent facilement.
11. Il n'est pas possible qu'elles s'agitent toujours.
12. Il n'est pas possible qu'ils sentent si mauvais.
13. Il ne faut pas que vous rendiez maintenant ce livre.
14. Cela me fatigue beaucoup qu'elle et lui remuent toujours.

1. Conjuguez

à l'indicatif présent

encontrar
volver

au subjonctif présent

soñar
torcer

2. Traduisez (presque = casi ; il se peut que = puede que)

a) Racontez-vous toujours ce qui se passe?
b) Oui, je raconte presque toujours ce qui se passe.
c) Il se souvient de tout, il ne raconte rien. C'est utile?
d) Oui, c'est très utile qu'il se souvienne de tout et ne raconte rien.
e) Il se peut qu'elle revienne tout de suite.
f) Il se peut qu'elles rêvent toutes de vous (V. P.).
g) Lui, il a l'habitude de raconter des histoires.
h) Tu rêves! Il n'est pas possible qu'il se souvienne de tout.
i) Il n'est pas possible que tu ne puisses revenir.
j) Il se peut que nous revenions avec vous (T. P.).

C 2 INFORMATIONS PRATIQUES

¿Qué tiempo hace?

Hace calor — hace bueno — da el sol — el sol brilla — el sol pica.

¡Qué bochorno! — vamos a tener una tormenta — retumba el trueno — se oscurece el cielo — brillan los relámpagos — llueve a cántaros.

Hace fresco — hace frío — hace mucho frío — corre mucho el viento — hay que vestirse mucho — tengo frío — Va a helar — hiela — va a nevar — nieva.

1. Conjuguez

Ind. prés. : encuentro, encuentras, encuentra, encontramos, encontráis, encuentran.
Vuelvo, vuelves, vuelve, volvemos, volvéis, vuelven.
Subj. prés. : sueñe, sueñes, sueñe, soñemos, soñéis, sueñen.
Tuerza, tuerzas, tuerza, torzamos, torzáis, tuerzan.

2. Traduisez

a) ¿Cuenta Ud siempre lo que ocurre?
b) Sí, cuento casi siempre lo que ocurre.
c) Se acuerda de todo, no cuenta nada. ¿Es útil?
d) Sí, es muy útil que se acuerde de todo y no cuente nada.
e) Puede que ella vuelva en seguida.
f) Puede que ellas sueñen todas con Uds.
g) Él suele contar chistes.
h) ¡Sueñas! No es posible que se acuerde de todo.
i) No es posible que no puedas volver.
j) Puede que volvamos con vosotros.

C 4 TRADUCTION

Quel temps fait-il?

Il fait chaud — il fait bon — le soleil tape — le soleil brille — le soleil brûle.

Quelle chaleur étouffante! — nous allons avoir un orage — le tonnerre gronde — le ciel s'assombrit — les éclairs brillent — il pleut à verse.

Il fait frais — il fait froid — il fait très froid — le vent souffle fort — il faut s'habiller chaudement — j'ai froid — il va geler — il gèle — il va neiger — il neige.

13 ■ ¿Empiezas?

A 1 PRÉSENTATION

empezar   *commencer*

Indicatif présent		Subjonctif présent	
empiezo	*je commence*	**empiece**	*que je commence*
empiezas	*tu commences*	**empieces**	*que tu commences*
empieza	*il commence*	**empiece**	*qu'il commence*
empezamos	*nous commençons*	**empecemos**	*que nous commencions*
empezáis	*vous commencez*	**empecéis**	*que vous commenciez*
empiezan	*ils commencent*	**empiecen**	*qu'ils commencent*

la sesión	*la séance*	ahora mismo	*tout de suite*
dudar	*douter*	inmediatamente	*immédiatement*
entender	*comprendre*	pronto	*vite, rapidement*
pensar (en)	*penser (à)*	¿por qué?	*pourquoi?*
sentarse	*s'asseoir*	porque	*parce que*

A 2 APPLICATION

1. ¿Empiezan Uds a entender? — Sí, empezamos.
2. ¿Empiezas a dudar? — Sí, empiezo a dudar.
3. ¿Empezáis a pensar? — Sí, empezamos.
4. ¿Empieza ahora la sesión? — Sí, empieza ahora mismo.
5. ¿No te sientas aquí? — No, me siento allí.
6. ¿Piensas empezar pronto? — No pienso empezar ahora.
7. Uds empiezan ahora. — ¡Cómo! ¿Es útil? — Sí, es útil que que empecemos ahora.
9. ¿Por qué empieza Ud inmediatamente? — ¿Por qué? ¡Porque sí!
10. ¿Por qué piensas tan pronto en volver?
11. Pienso en volver porque no entiendo nada.
12. ¿Cómo? ¿No entiendes nada? Pero, no es posible que no entiendas nada.

13 ■ Commences-tu?

A 3 REMARQUES

■ Rappel : **empezar:** le « z » devient « c » devant un « e »; le « z » et le « c » se prononcent comme le « th » anglais.

■ L'apparition de la diphtongue — le « **e** » qui devient « **ie** » — ne se produit que si le « e » est accentué. Cette accentuation ne se produit qu'aux **trois premières personnes du singulier et à la troisième personne du pluriel des présents de l'indicatif et du subjonctif** (p. 268).
Hormis ces personnes et ces temps, le verbe est régulier (p. 267).
Pour les présents (ind. et subj.), on a donc ceci :
      empezar   **ie -ie -ie -e -e -ie**

■ Attention à l'impératif de ces verbes (p. 285).

■ **Entender** peut être un faux-ami : il signifie « comprendre » et non pas « entendre » au sens physique.

■ **Inmediatamente:** attention, il n'y a pas deux « m » à se suivre comme en français.

■ **Vous,** sans autre précision, correspond au **V. S.**

A 4 TRADUCTION

1. Commencez-vous (V. P.) à comprendre? — Oui, nous commençons.
2. Commences-tu à douter? — Oui, je commence à douter.
3. Commencez-vous (T. P.) à penser? — Oui, nous commençons.
4. La séance commence-t-elle maintenant? — Oui, elle commence maintenant.
5. Tu ne t'assieds pas ici? — Non, je m'assieds là.
6. Penses-tu commencer rapidement? — Je ne pense pas commencer maintenant.
7. Vous commencez maintenant (V. P.) — Comment! Est-ce utile? — Oui, c'est utile que nous commencions maintenant.
8. Vous? Vous commencez (T. P.) maintenant? — Bien sûr! Il est indispensable que nous commencions maintenant.
9. Pourquoi commencez-vous immédiatement? — Pourquoi? Parce que!
10. Pourquoi penses-tu si vite à rentrer?
11. Je pense à rentrer parce que je ne comprends rien.
12. Comment? Tu ne comprends rien? Mais, il n'est pas possible que tu ne comprennes rien.

13 ■ ¿Quieres?

B 1 PRÉSENTATION

querer   *vouloir*

Indicatif présent   Subjonctif présent

quiero	*je veux*	**quiera**	*que je veuille*
quieres	*tu veux*	**quieras**	*que tu veuilles*
quiere	*il veut*	**quiera**	*qu'il veuille*
queremos	*nous voulons*	**queramos**	*que nous voulions*
queréis	*vous voulez*	**queráis**	*que vous vouliez*
quieren	*ils veulent*	**quieran**	*qu'ils veuillent*

la confianza	*la confiance*	juntos, as	*ensemble*
el río	*la rivière, le fleuve*	descender	*descendre*
el tren	*le train*	perder	*perdre, rater*

B 2 APPLICATION

1. ¿Quiere Ud algo? — No, gracias, no quiero nada.
2. ¿Quieren ellos algo? — Seguro que ellos quieren algo.
3. ¿No pierden Uds confianza? — No, no perdemos confianza.
4. ¿Pierde él siempre el tren? — No, nunca pierde el tren.
5. ¿Entienden Uds el español? — Sí, entendemos el español.
6. ¿Desciende Ud al río? — No, no desciendo.
7. No entiendo que él siempre pierda el tren.
8. No quiero que Uds pierdan confianza en él.
9. No es útil que Uds desciendan juntos al río.
10. ¿Uds no quieren que ellas desciendan juntas?
11. No quieres que ellas empiecen ahora. ¿Por qué?
12. No quiero que empiecen ahora porque no entienden.
13. ¿Por qué pierdes confianza? Ellas entienden.

13 ■ Veux-tu?

B 3 REMARQUES

■ Rappel : **tren, siempre:** pensez à bien faire sonner les consonnes :
tren [tré-n]; **siempre** [sié-mpre]

■ **descender:** attention à la succession du « **s** » légèrement chuinté (« cassé ») et du « **c** » (« z » proche du « th » anglais) **río** : le « **r** » initial est prononcé comme deux « r » roulés.

■ **Querer** diphtongue dans les mêmes conditions que le verbe **empezar,** c'est-à-dire aux trois premières personnes du singulier et à la 3e personne du pluriel des présents de l'indicatif et du subjonctif.

■ **Juntos, as:** signifie « ensemble », mais en espagnol, c'est un adjectif, et donc il s'accorde avec le nom auquel il se rapporte.

B 4 TRADUCTION

1. Voulez-vous quelque chose? — Non, merci, je ne veux rien.

2. Veulent-ils quelque chose? — Sûrement qu'ils veulent quelque chose.

3. Ne perdez-vous (V. P.) pas confiance? — Non, nous ne perdons pas confiance.

4. Rate-t-il toujours le train? — Non, il ne rate jamais son train.

5. Comprenez-vous (V. P.) l'espagnol? — Oui, nous comprenons l'espagnol.

6. Descendez-vous à la rivière? — Non, je ne descends pas.

7. Je ne comprends pas qu'il rate toujours son train.

8. Je ne veux pas que vous perdiez (V. P.) confiance en lui.

9. Il n'est pas utile que vous descendiez (V. P.) ensemble à la rivière?

10. Vous ne voulez pas (V. P.) qu'elles descendent ensemble?

11. Tu ne veux pas qu'elles commencent maintenant. Pourquoi?

12. Je ne veux pas qu'elles commencent maintenant parce qu'elles ne comprennent pas.

13. Pourquoi perds-tu confiance? Elles comprennent.

1. Traduisez

a) Quand commence-t-il?
b) Il commence tout de suite.
c) Comprenez-vous?
d) Oui, je comprends très bien.
e) Descendez-vous (V. P.) ensemble?
f) Nous ne descendons pas ensemble.

2. Traduisez (admettre = admitir; désirer = desear)

a) Je ne veux pas que vous perdiez (V. P.) confiance.
b) Ils n'admettent pas que tu rates toujours ton train.
c) Tu n'admets pas qu'il raconte ce qui se passe.
d) Ils ne veulent pas que tu penses à cela.
e) Nous désirons que vous commenciez (V. P.) immédiatement.
f) Chacun désire que la séance commence tout de suite.
g) Tu ne veux pas que je descende avec elles?
h) Je ne veux pas que tu perdes.

C 2 INFORMATIONS PRATIQUES

Aquí se habla español

¿Vamos?
No creemos en lo que Ud cuenta.
¿Cenamos ahora?

Llaman a la puerta. ¿Quién es?
Cuentan que no es verdad.

Se llama a la puerta antes de entrar.
No se enciende un puro con un mechero

Uno se sienta donde quiere, ¿no?
Uno suele decir lo que piensa.
Una no puede estar en todo.

1. Traduisez

a) ¿Cuándo empieza él?   d) Sí, entiendo muy bien
b) Empieza inmediatamente   e) ¿Descienden Uds juntos?
c) ¿Entiende Ud?   f) No descendemos juntos

2. Traduisez

a) No quiero que Uds pierdan confianza.
b) Ellos no admiten que siempre pierdas el tren.
c) No admites que él cuente lo que ocurre.
d) No quieren ellos que pienses en esto.
e) Deseamos que Uds empiecen inmediatamente.
f) Cada uno desea que la sesión empiece en seguida.
g) ¿No quieres que yo descienda con ellas?
h) No quiero que pierdas.

C 4 TRADUCTION ET REMARQUES

Ici on parle espagnol

Le pronom indéfini « on » n'a pas d'équivalent direct en espagnol ; différentes tournures en traduisent cependant les nuances (p. 260) :

On y va?
On ne croit pas ce que vous racontez.   (Le « on » équivaut en
On dîne maintenant?   réalité à « nous »)

On frappe à la porte. Qui est-ce?   (L'action est faite par
On raconte que ce n'est pas vrai.   un tiers)

On frappe à la porte avant d'entrer.   (Recommandation,
On n'allume pas un cigare avec un briquet.   fait habituel.)

On s'assied où on veut, non?   (Le verbe est pronominal)
D'habitude, on dit ce qu'on pense.   (Forme discrète qui évite
On ne peut pas s'occuper de tout.   le « je ».)

14 ■ ¿Habéis visto?

Haber   verbe avoir (auxiliaire)

He	*j'ai*	**Hemos**	*nous avons*
Has	*tu as*	**Habéis**	*vous avez*
Ha	*il a*	**Han**	*ils ont*

Haber + Participe passé = Passé composé

He comprado	**(comprar)**	*j'ai acheté*
Has vendido	**(vender)**	*tu as vendu*
Ha perdido	**(perder)**	*il a perdu (ou manqué)*
Hemos venido	**(venir)**	*nous sommes venus*
Habéis visto	**(ver)**	*vous avez vu*
Han hecho	**(hacer)**	*ils ont fait*

el piso	*l'appartement*	nada	*rien*
	l'étage	algo	*quelque chose*
el tren	*le train*	porque	*parce que*
el turista	*le touriste*	¿por qué?	*pourquoi?*

A 2 APPLICATION

1. Hoy he vendido mi coche.
2. Esta mañana has comprado un piso.
3. Esta tarde ha perdido el tren.
4. Estos días no hemos visto a muchos turistas.
5. Este año no han venido.
6. Esta noche no habéis hecho nada.
7. ¿Ha comprado Ud algo esta mañana?
8. — No, no he comprado nada.
9. ¿Por qué no ha venido su amigo hoy?
10. — Porque ha perdido el tren.
11. ¿Han visto Uds a Lola esta noche?
12. — No, no ha venido.
13. ¿Ha hecho Ud algo esta mañana?
14. — No, no he hecho nada.
15. ¿Habéis vendido algo a estos turistas?
16. — No, no han comprado nada.

A 3 REMARQUES

■ Il ne faut pas confondre le verbe **haber,** avoir (auxiliaire) avec le verbe **tener,** avoir (posséder).

■ **Le participe passé** des verbes terminés par **-ar** se forme en ajoutant **-ado** au radical et celui des verbes terminés en **-er** et **ir-** en lui ajoutant **-ido.** Il existe aussi des participes passés irréguliers comme **hecho** pour **hacer,** faire, **visto** pour **ver,** voir, etc. (p. 282).

■ **Le passé composé** d'un verbe est formé de son **participe passé,** toujours invariable, **précédé de haber,** avoir auxiliaire. Il en est de même pour les verbes qui utilisent le verbe être en français : **he venido,** je suis venu.

■ **On emploie le passé composé** lorsque l'action se situe dans une période de temps, exprimée ou non, très rapprochée ou dont les effets se prolongent au présent (action complètement écoulée = passé simple).

■ L'emploi de **la préposition a** est indispensable devant les compléments d'objet directs qui désignent des personnes : **ver a un amigo,** voir un ami ; (sauf après tener).

A 4 TRADUCTION

1. Aujourd'hui j'ai vendu ma voiture.
2. Ce matin tu as acheté un appartement.
3. Cet après-midi il a manqué le train.
4. Ces jours-ci nous n'avons pas vu beaucoup de touristes.
5. Cette année ils ne sont pas venus.
6. Ce soir vous n'avez rien fait (T.P.).
7. Avez-vous acheté quelque chose ce matin?
8. — Non, je n'ai rien acheté.
9. Pourquoi votre ami n'est-il pas venu aujourd'hui?
10. — Parce qu'il a manqué le train.
11. Avez-vous vu Lola ce soir (V.P.)?
12. — Non, elle n'est pas venue
13. Avez-vous fait quelque chose ce matin?
14. — Non, je n'ai rien fait.
15. Avez-vous vendu quelque chose à ces touristes (T.P.)?
16. — Non, ils n'ont rien acheté.

14 ■ Hay que ver

B 1 PRÉSENTATION

Hay	*il y a*		
Hay que + **infinitif**	*il faut (impers.)*		
Tener que + **infinitif**	*devoir (pers.)*		
Deber + **infinitif**	*devoir*		
Haber de + **infinitif**	*devoir (intention)*		

la cuenta	*la note*	abrir	*ouvrir*
la farmacia	*la pharmacie*	cerrar	*fermer*
la puerta	*la porte*	coger	*prendre (taxi)*
el regalo	*le cadeau*	ir	*aller*
el trabajo	*le travail*	ir de compras	*aller faire des courses*
ahora	*maintenant*	pagar	*payer, régler*
ahora mismo	*tout de suite*	salir	*partir, sortir*
antes	*avant*	telefonear	*téléphoner*
delante de	*devant*	terminar	*terminer*

B 2 APPLICATION

1. ¿Hay un taxi?
2. — No, no hay taxi ahora.
3. — Sí, hay uno delante de la farmacia.
4. — Está el coche del hotel delante de la puerta.
5. Hay que cerrar las puertas antes de salir.
6. Hay que abrir las ventanas por la noche.
7. Para ir a la estación, hay que coger un taxi.
8. Debemos pagar la cuenta del hotel antes.
9. — Sí, tengo que pagar ahora mismo.
10. He de ir de compras esta tarde.
11. Tengo que comprar un regalo para mi madre.
12. — Debes terminar tu trabajo antes de salir.
13. Hay que coger un taxi ahora.
14. — ¿Por qué?
15. — Porque hemos perdido el tren.
16. — Tenemos que telefonear ahora mismo.

B 3 REMARQUES

■ Attention à la prononciation de **hay** [aï].

■ **Hay**, il y a, est invariable. Cette forme impersonnelle ne comporte jamais de sujet. On l'emploie avec des objets indéterminés : **hay un coche**, il y a une voiture, sinon on utilise **está** : **está el coche del hotel**, il y a la voiture de l'hôtel.

■ **L'obligation impersonnelle**, c'est-à-dire sans sujet énoncé, se traduit par **hay que**, il faut...

■ **L'obligation personnelle**, c'est-à-dire avec sujet énoncé, peut être rendue par **tener que + infinitif**, devoir, il faut que, ou par le verbe **deber + infinitif**, devoir, (et aussi d'autres expressions (p. 111).

■ **Haber de** traduit une nuance d'obligation moins forte que **tener que**, plutôt une intention. Parfois, surtout aux premières personnes, c'est un simple équivalent du futur.

B 4 TRADUCTION

1. Y a-t-il un taxi?

2. — Non, il n'y a pas de taxi maintenant.

3. — Oui, il y en a un devant la pharmacie.

4. — Il y a la voiture de l'hôtel devant la porte.

5. Il faut fermer les portes avant de sortir.

6. Il faut ouvrir les fenêtres pendant la nuit.

7. Pour aller à la gare, il faut prendre un taxi.

8. Nous devons régler la note de l'hôtel auparavant.

9. — Oui, il faut que je paie tout de suite.

10. Je dois aller faire des courses cet après-midi.

11. Il faut que j'achète un cadeau pour ma mère.

12. — Tu dois terminer ton travail avant de sortir.

13. Il faut prendre un taxi maintenant.

14. — Pourquoi?

15. — Parce que nous avons manqué le train.

16. — Nous devons téléphoner tout de suite.

1. Mettre au passé composé :

compro un piso
vendes tu coche
no hace nada

venimos de Madrid
perdéis el tren
ven a Pablo

2. Utiliser la forme «tener que» :

debo vender mi piso
deben coger un taxi
Ud debe salir ahora

he de ir de compras
hemos de pagar
han de venir ahora

3. Traduire :

j'ai payé la note
ils ont pris un taxi
ils sont sortis
vous avez perdu (V. S.)

il y a du travail
il n'y a pas de taxi
il faut fermer la porte
il faut acheter maintenant

4. Traduire avec la forme «tener que» :

vous devez partir (V. S.)
il doit venir

vous devez terminer (T. P.)
vous devez payer (V. P.)

C 2 INFORMATIONS PRATIQUES

En la estación del ferrocarril

¿Dónde está la oficina de información?
¿A qué hora sale el tren para Málaga?
¿Es un tren directo?
¿Tengo que hacer transbordo?
¿A qué hora llega el tren a Málaga?
¿Hay coche cama?
¿Hay coche comedor?

Por favor, ¿dónde está la taquilla?
Quisiera un billete para Málaga.
— ¿Ida o ida y vuelta? ¿Primera o segunda clase?
Quisiera también reservar una litera.
Por favor, ¿dónde está el andén número 4?

1. Mettre au passé composé :

he comprado un piso   hemos venido de Madrid
has vendido tu coche   habéis perdido el tren
no ha hecho nada   han visto a Pablo

2. Utiliser la forme «tener que» :

tengo que vender mi piso   tengo que ir de compras
tienen que coger un taxi   tenemos que pagar
Ud tiene que salir ahora   tienen que venir ahora

3. Traduire :

he pagado la cuenta   hay trabajo
han cogido un taxi   no hay taxi
han salido   hay que cerrar la puerta
Ud ha perdido   hay que comprar ahora

4. Traduire avec la forme «tener que» :

Ud tiene que salir   tenéis que terminar
tiene que venir   Uds tienen que pagar

C 4 TRADUCTION

A la gare

Où est le bureau de renseignements?
A quelle heure part le train pour Málaga?
Est-ce un train direct?
Dois-je changer (de train)?
A quelle heure le train arrive-t-il à Málaga?
Y a-t-il un wagon-lit?
Y a-t-il un wagon-restaurant?

S'il vous plaît, où se trouve le guichet?
Je voudrais un billet pour Málaga.
— Aller ou aller et retour? première ou seconde?
Je voudrais aussi réserver une couchette.
S'il vous plaît, où se trouve le quai n° 4?

15 ■ Soy yo

A 1 PRÉSENTATION

Traduction du verbe **être**.

L'espagnol utilisera le verbe **ser** si en français, on a :

> **Etre +** **un nom**
> **un pronom**
> **un numéral**
> **un infinitif**
> **un adverbe de quantité**
> **un adverbe de temps**

la mano	*la main*	más	*plus, davantage*
crear	*créer*	anteayer	*avant-hier*
ganar	*gagner*	ayer	*hier*
agradable	*agréable*	hoy	*aujourd'hui*
malo	*mauvais, mal*	mañana	*demain*
lo + adj.	*ce qui est + adj.*	pasado mañana	*après-demain*

A 2 APPLICATION

1. Es la mano derecha. Es la mano izquierda.
2. ¿Eres tú? — Sí, soy yo. ¿Es Ud? — Sí, soy yo.
3. ¿Sois vosotros? — Sí, somos nosotros,
4. ¿Son Uds? — Sí, somos nosotros.
5. ¿Son Uds ciento cincuenta? — No, somos ciento ochenta.
6. ¿Cuántos sois? — Somos quinientos.
7. Lo bueno, es ganar — Lo malo, es perder.
8. Lo importante, es crear — Lo agradable, es jugar.
9. ¿Es mucho o es poco? — No es poco, es mucho.
10. ¿Quiere Ud más vino? — No gracias. Ya es demasiado.
11. ¿Cuándo llegan ellos? ¿Es hoy o mañana?
12. No, es pasado mañana.
13. Es hoy. Es ayer. Es anteayer.

A 3 REMARQUES

■ Rappel. **único :** le « **u** » est toujours prononcé « **ou** ».
Hoy : le « **h** » n'est jamais aspiré.

■ La traduction du verbe « **être** » est **une des difficultés majeures** de l'espagnol.
Ces difficultés seront très réduites si vous vous rappelez que l'espagnol utilise **ser** quand le français a

      être + un nom (c'est une maison)
               un pronom (c'est elle, c'est celui-ci)
               un numéral (ils sont 44)
               un infinitif (c'est de travailler qui compte)
               un adverbe de quantité (c'est trop)
               un adverbe de temps (c'est aujourd'hui).

C'est lorsque le verbe **être** sera suivi d'un adjectif qualificatif que la traduction sera plus délicate.

■ **Vous,** sans autre précision, correspond au **V. S.**

A 4 TRADUCTION

1. C'est la main droite. C'est la main gauche.

2. C'est toi? — Oui, c'est moi. C'est vous? — Oui, c'est moi.

3. C'est vous (T. P.)? — Oui, c'est nous.

4. C'est vous (V. P.)? — Oui, c'est nous.

5. Etes-vous (V. P.) 150? — Non, nous sommes 180.

6. Combien êtes-vous (T. P.)? — Nous sommes 500.

7. Ce qui est bon, c'est de gagner. — Ce qui est mauvais, c'est de perdre.

8. L'important, c'est de créer — Ce qui est agréable, c'est de jouer.

9. C'est beaucoup ou c'est peu? — Ce n'est pas peu, c'est beaucoup.

10. Voulez-vous davantage de vin? — Non merci. C'est déjà trop.

11. Quand arrivent-ils? C'est aujourd'hui ou demain?

12. Non, c'est après-demain.

13. C'est aujourd'hui. C'est hier. C'est avant-hier.

B 1 PRÉSENTATION

Traduction du verbe **être**

L'espagnol utilisera le verbe **estar** pour exprimer

> **le lieu**
> **le temps**
> **l'action terminée**
> **l'action en cours**

la distancia	*la distance*	el perro	*le chien*
Francia	*la France*	Suiza	*la Suisse*
la fruta	*le fruit*	cerrado,a	*fermé,e*
el kilómetro	*le kilomètre*	terminado,a	*terminé,e*
la música	*la musique*	todavía	*encore*
el nene	*le bébé*	ya está	*ça y est*
el partido	*le match*		

B 2 APPLICATION

1. ¿A qué distancia estamos? — Estamos a dos kilómetros.
2. ¿Estamos en Francia? — Todavía no. Estamos en Suiza.
3. ¿Estamos en primavera? — No, estamos en verano.
4. ¿Dónde están Uds? — Estamos aquí.
5. ¿Dónde están ella y él? — No están.
6. La puerta está cerrada, ¿no? — No, no está cerrada.
7. Ya está. El partido está terminado.
8. ¿Está aquí el perro? — Sí, sí, está aquí.
9. ¿Qué está comiendo el nene? — Está comiendo una fruta.
10. La chica está tomando el sol.
11. Estoy escuchando música.
12. Él está leyendo una novela.
13. Creo que las vacaciones están terminadas.
14. ¿Por qué están cerradas estas ventanas?

B 3 REMARQUES

■ Rappel. Attention à l'accentuation écrite du verbe **estar**.
Cerrado, perro : faites bien rouler les deux « **r** ».
Francia, Suiza, ; d'une façon générale, les noms de pays
ne sont pas précédés de l'article, sauf s'ils sont déterminés :
la Francia del Sur.

■ Le verbe **estar** traduit le verbe **être** à chaque fois qu'il faut
exprimer :

        le lieu (je suis dans le métro)
        le temps (nous sommes vendredi)
        l'action terminée (la fenêtre est ouverte)
        l'action en cours (je suis en train de lire, c'est la
forme progressive que l'espagnol rend par **estar + le gérondif**).

■ Le gérondif s'obtient ainsi :

        tom — ar = tom — ando   tomando
        com — er = com — iendo comiendo
        sub — ir = sub — iendo   subiendo

B 4 TRADUCTION

1. A quelle distance sommes-nous? — Nous sommes à 2 km.
2. Sommes-nous en France? — Pas encore. Nous sommes en
   Suisse.
3. Sommes-nous au printemps? — Non, nous sommes en été.
4. Où êtes-vous (V. P.)? — Nous sommes ici.
5. Où sont-ils, elle et lui? — Ils ne sont pas là.
6. La porte est fermée, non? — Non, elle n'est pas fermée.
7. Ça y est. Le match est terminé.
8. Le chien est ici? — Oui, oui, il est ici.
9. Qu'est-ce que le bébé est en train de manger? — Il est en
   train de manger un fruit.
10. La fille est en train de prendre le soleil.
11. Je suis en train d'écouter de la musique.
12. Il est en train de lire un roman.
13. Je crois que les vacances sont terminées.
14. Pourquoi ces fenêtres sont-elles fermées?

1. Traduisez

a) Elles sont ici
b) C'est notre ville
c) La maison est aban-
donnée
d) Elle est en train de lire
e) Ce livre est mon livre

f) Ce sont vos (T. P.) lettres
g) Tu es en train de manger
h) Vous êtes un garçon
i) Vous êtes une fille
j) Ils sont 4, mais je suis là

2. Traduisez   (fatigué = cansado ;   se reposer = descansar).

a) Ce qui est important, c'est d'étudier tous les jours.
b) Nous sommes 9 et nous sommes tous dans la même chambre.
c) Ils sont fatigués et ils sont en train de se reposer.
d) Vous êtes (T. P.) en train de perdre votre temps.
e) Et nous, nous sommes en train d'attendre.
f) C'est la dernière fois que nous l'admettons.
g) Qu'est-ce que tu es en train de raconter?
h) Vous êtes là, je crois que c'est beaucoup.

C 2   INFORMATIONS PRATIQUES

En Correos

Quisiera...
Quisiera envíar...
Quisiera envíar una postal...
Quisiera envíar una postal a Francia...
Quisiera mandar una carta a Italia.
¿Cuál es el franqueo?
Quisiera un sello de siete pesetas.
Aquí lo tiene Ud.
Gracias. Ya está. Está pegado.
Ud debe echar la postal en el buzón.

1. Traduisez

a) Ellas están aquí
b) Es nuestra ciudad
c) La casa está abandonada
d) Ella está leyendo
e) Este libro es mi libro
f) Son vuestras cartas
g) Estás comiendo
h) Ud es un chico
i) Ud es una chica
j) Son cuatro, pero estoy aquí

2. Traduisez

a) Lo importante, es estudiar todos los días.
b) Somos nueve y estamos todos en el mismo cuarto.
c) Están cansados y están descansando.
d) Estáis perdiendo vuestro tiempo.
e) Y nosotros, estamos esperando.
f) Es la última vez que lo admitimos.
g) ¿Qué estás contando?
h) Ud está aquí, creo que es mucho.

C 4 TRADUCTION

A la poste

Je voudrais...
Je voudrais envoyer...
Je voudrais envoyer une carte postale...
Je voudrais envoyer une carte postale en France...
Je voudrais envoyer une lettre en Italie.
A combien faut-il affranchir? (Quel est l'affranchissement?)
Je voudrais un timbre de 7 pesètes.
Tenez, le voici. (Vous l'avez ici.)
Merci. Ça y est. Il est collé.
Vous devez jeter la carte postale à la boîte.

A 1 PRÉSENTATION

**Être + un adjectif
se traduit par**

ser

si on exprime
— **ce qui est essentiel**
— **ce qui caractérise**

estar

si on exprime
— **ce qui est accidentel**
— **ce qui est circonstanciel**

agitado, a	*agité, e*	peruano, a	*péruvien, ne*
agotado, a	*épuisé, e*	pobre	*pauvre*
alto, a	*grand, e*	resfriado, a	*enrhumé, e*
conforme	*d'accord*	seguro, a	*sûr, e*
enfermo, a	*malade*	muy	*très*
feliz	*heureux*	contento, a	*content, e*

A 2 APPLICATION

1. Mi amigo es alto; pero está enfermo.
2. Su padre es peruano y es muy pobre.
3. Su hermana es muy guapa; no es rica.
4. Su hermano no es guapo y no es rico.
5. Son peruanos y pobres; pero son felices.
6. El amigo de Ud es bajo y está bueno.
7. Es rico y está seguro de ganar siempre.
8. Siempre está resfriado; siempre está agitado.
9. No está conforme con nadie.
10. Afirma que está agotado.
11. Está muy contento de todo.
12. Soy feliz y ella también. Vosotros sois felices y ellas también.
13. Tú estás segura de que estoy contento.

A 3 REMARQUES

■ Il est délicat de choisir entre **ser** et **estar** quand être est suivi d'un adjectif qualificatif. Ce choix doit se faire en fonction des critères suivants :
— tout adjectif qui exprimera une qualité essentielle, fondamentale à un être ou à une chose sera précédé de **ser**
— tout adjectif qui exprimera quelque chose d'accidentel, de dépendant d'une cause extérieure à l'être profond ou à la chose sera précédé de **estar**.

■ Faites bien la différence de registre entre :
         — **il est grand** (qualité inhérente à son être),
         — **il est assis** (accident qui ne modifie pas son être).
Ainsi : **soy feliz,** je suis heureux, car il s'agit de mon équilibre intérieur.
estoy contento, je suis content, car c'est le résultat de causes qui me sont extérieures.

A 4 TRADUCTION

1. Mon ami est grand ; mais il est malade.

2. Son père est péruvien et il est très pauvre.

3. Sa sœur est très jolie ; elle n'est pas riche.

4. Son frère n'est pas joli et il n'est pas riche.

5. Ils sont péruviens et pauvres ; mais ils sont heureux.

6. Votre ami est petit et il est en bonne santé.

7. Il est riche et il est sûr de toujours gagner.

8. Il est toujours enrhumé ; il est toujours agité.

9. Il n'est d'accord avec personne.

10. Il affirme qu'il est épuisé.

11. Il est très content de tout.

12. Je suis heureux et elle aussi. Vous, vous êtes (T. P.) heureux et elles aussi.

13. Toi, tu es sûre que je suis content.

16 ■ Es bueno que estés con nosotros

B 1 PRÉSENTATION

Présent du subjonctif des verbes SER et ESTAR

ser	être	estar
sea	*que je sois*	**esté**
seas	*que tu sois*	**estés**
sea	*qu'il soit*	**esté**
seamos	*que nous soyons*	**estemos**
seáis	*que vous soyez*	**estéis**
sean	*qu'ils soient*	**estén**

cierto, a	*certain, e*	es bueno	*il est bon*
joven	*jeune*	es malo	*il est mauvais*
solo, a	*seul, e*	está claro	*il est clair*
viejo, a	*vieux, vieille*	es mejor	*il est mieux*
ser verdad	*être vrai*	sólo	*seulement, ne...que*
es agradable	*il est agréable*	ya	*déjà*

B 2 APPLICATION

1. Es bueno que estés con nosotros y que seas el primero.
2. No es malo que ellos estén todos aquí con Uds.
3. Es agradable que ella sea hermosa.
4. ¿Estás solo? Es mejor que no estés solo, ¿no?
5. Tiene sólo cuarenta años, pero ya está viejo.
6. Ella tiene sesenta y cinco años, pero está joven.
7. Es muy útil que estemos todos aquí.
8. Está claro que es indispensable.
9. No estoy seguro de que sea verdad.
10. Estoy seguro de que es cierto.
11. Es indispensable que estemos con vosotros.
12. No es malo que sea él.
13. Que sea él o ella, me da igual.
14. Pero, que uno de los dos esté aquí ahora mismo.

16 ■ Il est bon que tu sois avec nous

B 3 REMARQUES

■ Les subjonctifs présents des verbes **ser** et **estar** sont irréguliers. Attention en particulier à l'accentuation écrite de **estar**.

■ Notez bien que toutes les expressions impersonnelles constituées du verbe **être + un adjectif** en français se traduisent en espagnol par **ser + l'adjectif** :

il est bon que   = **es bueno que**
il est mieux que = **es mejor que**

Il y a une seule exception :

il est clair que = **está claro que.**

■ La plupart de ces expressions sont suivies du subjonctif (p. 193).

■ Selon qu'un adjectif est utilisé avec **ser** ou avec **estar,** le sens peut varier :

es bueno = il est bon, généreux

(c'est une qualité fondamentale, caractéristique)

es viejo = il est vieux, âgé

está bueno = il est bien, en bonne santé

(c'est un accident, une circonstance)

está viejo = il fait vieux

B 4 TRADUCTION

1. Il est bon que tu sois avec nous et que tu sois le premier.
2. Il n'est pas mauvais qu'ils soient tous avec vous (V.P.) ici.
3. Il est agréable qu'elle soit belle.
4. Tu es seul? Il est mieux que tu ne sois pas seul, non?
5. Il n'a que 40 ans, mais il fait déjà vieux.
6. Elle a 65 ans, mais elle fait jeune.
7. Il est très utile que nous soyons tous ici.
8. Il est clair que c'est indispensable.
9. Je ne suis pas sûr que ce soit vrai.
10. Je suis sûr que c'est certain.
11. Il est indispensable que nous soyons avec vous (T. P.).
12. Il n'est pas mauvais que ce soit lui.
13. Que ce soit lui ou elle, ça m'est égal.
14. Mais que l'un des deux soit ici tout de suite.

1. Traduisez

(médecin = médico)

a) C'est la dernière fois
b) Ils sont 44
e) C'est ma fille
d) Il est en train de jouer

e) Mon livre, c'est celui-ci
f) Je suis médecin
g) La maison est vendue
h) C'est un coin agréable

2. Traduisez

a) Comment allez-vous? Je vais bien, merci.
b) Mais mon frère est malade, je suis inquiet.
c) Il est grand et jeune, mais il est fatigué.
d) C'est vrai qu'ils sont tous là.
e) Il est bon que tu sois seule un peu.
f) Je ne suis pas d'accord avec vous (T. P.).

C 2 INFORMATIONS PRATIQUES

El teléfono

— « Diga, diga »
— « Oiga, quisiera hablar con Pedro. »
— « Soy yo. ¿Quién es? »
— « Soy Antonio. ¿Cómo estás? »

— « Oye, quisiera hablar con tu hermano. »
— « De momento, no está. »

— « Quisiera hablar con Teresa. »
— « Bueno, ahora mismo se pone. »

— « Hable más fuerte. »
— « No cuelgue. »

— Está comunicando.

1. Traduisez

a) Es la última vez
b) Son cuarenta y cuatro
c) Es mi hija
d) Él está jugando
e) Mi libro, es éste
f) Soy médico
g) La casa está vendida
h) Es un sitio agradable

2. Traduisez

a) ¿Cómo está Ud? Estoy bien, gracias.
b) Pero mi hermano está enfermo, estoy inquieto.
c) Es alto y joven, pero está cansado.
d) Es verdad que están todos aquí.
e) Es bueno que estés sola un poco.
f) No estoy conforme con vosotros.

C 4 TRADUCTION

Le téléphone

— « Allô, allô » (Dites, dites, je vous écoute)
— « Allô (écoutez), je voudrais parler à Pierre. »
— « C'est moi. Qui est-ce? »
— « Je suis Antoine. Comment vas-tu? »

— « Allô, je voudrais parler à ton frère. »
— « Pour l'instant, il n'est pas là. »

— « Je voudrais parler à Thérèse. »
— « D'accord, elle prend la communication tout de suite. »

— « Parlez plus fort. »
— « Ne raccrochez pas. »

— C'est occupé.

17 ■ Hace falta que tengamos cuidado

A 1 PRÉSENTATION

Tener	avoir (posséder)		Présent du subjonctif
Tengo	j'ai	→	**Tenga** que j'aie
			Tengas ...
			Tenga
			Tengamos
			Tengáis
			Tengan

Hace falta que + subjonctif il faut que (+ subj.)

el baño	le bain	el mapa	la carte
la cocina	la cuisine	el vestíbulo	le vestibule
el comedor	salle à manger	el zaguán	l'entrée
el cuarto	la pièce	demasiado	trop
cuarto de estar	salle de séjour	fumar	fumer
el dormitorio	la chambre	tener cuidado	faire attention
la gasolina	l'essence	tener ganas	avoir envie
la habitación	la pièce	tener razón	avoir raison

A 2 APPLICATION

1. La casa tiene cinco cuartos (o habitaciones) : tres dormitorios, un cuarto de baño y un cuarto de estar.
2. Hace falta que tenga también una cocina.
3. Hace falta que tenga un zaguán (o vestíbulo).
4. Hace falta que tenga un cuarto de baño.
5. Tenemos que salir a la una y media.
6. Hace falta que tengamos el coche a la una.
7. Hace falta que el coche tenga gasolina.
8. Hace falta que tengamos un mapa también.
9. Tengo ganas de fumar.
10. Fumas demasiado, hace falta que tengas cuidado.
11. Tienes razón: hace falta que fume menos.
12. Tengo ganas de ir de compras ahora.
13. Hace falta que termines tu trabajo antes.
14. No hace falta que abras las ventanas.
15. Hace falta que tengas cuidado con el coche.

17 ■ Il faut que nous fassions attention

A 3 REMARQUES

■ Les terminaisons des **présents du subjonctif des verbes irréguliers** sont les mêmes que celles des verbes réguliers, c'est-à-dire : voyelle **e** pour les verbes terminés en **-ar** et voyelle **a** pour les verbes terminés en **-er** et **-ir**.

■ Pour obtenir **le présent du subjonctif d'un verbe irrégulier** comme **tener,** ainsi que celui des verbes irréguliers de même conjugaison, il suffit de prendre la racine de la première personne du présent de l'indicatif et d'y ajouter les terminaisons du subjonctif d'un verbe régulier en **-er: tengo → tenga.**

■ La forme de l'obligation personnelle (c'est-à-dire avec sujet énoncé), **hace falta que...,** est toujours suivie du subjonctif.

■ Attention à la préposition : tener cuidado con, faire attention à.

A 4 TRADUCTION

1. La maison a cinq pièces : trois chambres, une salle de bains et une salle de séjour.
2. Il faut qu'elle ait aussi une cuisine.
3. Il faut qu'elle ait une entrée (vestibule).
4. Il faut qu'elle ait une salle de bains.
5. Nous devons partir (sortir) à une heure et demie.
6. Il faut que nous ayons la voiture à une heure.
7. Il faut que la voiture ait de l'essence.
8. Il faut que nous ayons aussi une carte.
9. J'ai envie de fumer.
10. Tu fumes trop, il faut que tu fasses attention.
11. Tu as raison : il faut que je fume moins.
12. J'ai envie d'aller faire des courses maintenant.
13. Il faut que tu termines ton travail auparavant.
14. Il ne faut pas que tu ouvres les fenêtres.
15. Il faut que tu fasses attention à la voiture.

17 ■ Es necesario que Ud lo escriba

B 1 PRÉSENTATION

Haber	*avoir (auxiliaire)*	Présent du subjonctif	
He	*j'ai*	**Haya**	*que j'aie*
		Hayas	*...*
		Haya	
		Hayamos	
		Hayáis	
		Hayan	

Es necesario que + subjonctif *il faut que (+ subj.)*

el abrigo	*le manteau*	adiós	*au revoir*
la dirección	*l'adresse*	abierto (abrir)	*ouvert*
la huelga	*la grève*	dicho (decir)	*dit*
los padres	*les parents*	escrito (escribir)	*écrit*
el tiempo	*le temps*	hecho (hacer)	*fait*
el trabajo	*le travail*	puesto (poner)	*mis*
la ventana	*la fenêtre*	visto (ver)	*vu*

B 2 APPLICATION

1. Hace falta que hayas escrito tu nueva dirección.
2. Es necesario que hayas abierto las ventanas.
3. Es preciso que hayas puesto tu abrigo.
4. Es menester que hayas dicho adiós a tus amigos.
5. Hace falta que hayas visto a tus padres.
6. Es necesario que hayas hecho tu trabajo.
7. Hay tres dormitorios en esta casa.
8. Hace falta que haya un comedor también.
9. Es necesario que haya también un cuarto de baño.
10. Es preciso que haya un cuarto de estar.
11. Es menester que haya una cocina también.
12. Para ir al campo :
13. Hace falta que Ud tenga tiempo.
14. Es necesario que Ud haya escrito a sus padres.
15. Hace falta que no haya huelga de transportes.

B 3 REMARQUES

■ **Le présent du subjonctif du verbe haber,** avoir (auxiliaire), présente une forme différente de celle de l'indicatif : **he →
haya.** Par contre, les terminaisons sont régulières.

■ **Hay,** il y a, étant en réalité la 3ᵉ personne du présent de l'indicatif de **haber + y,** son présent du subjonctif sera tout naturellement **haya.**

■ Hace falta que
  Es necesario que
  Es menester que   } + subjonctif = il faut que...
  Es preciso que   il est nécessaire que...

Ces quatre formes sont utilisées indifféremment pour traduire l'obligation personnelle (**hay que + infinitif** traduit l'obligation impersonnelle, c'est-à-dire sans sujet énoncé).

■ Les principaux **participes passés irréguliers** sont présentés dans le vocabulaire de cette leçon.

B 4 TRADUCTION

1. Il faut que tu aies écrit ta nouvelle adresse.

2. Il faut que tu aies ouvert les fenêtres.

3. Il faut que tu aies mis ton manteau.

4. Il faut que tu aies dit au revoir à tes amis.

5. Il faut que tu aies vu tes parents.

6. Il est nécessaire que tu aies fait ton travail.

7. Il y a trois chambres dans cette maison.

8. Il faut qu'il y ait aussi une salle à manger.

9. Il est nécessaire qu'il y ait aussi une salle de bains.

10. Il faut qu'il y ait une salle de séjour.

11. Il est nécessaire qu'il y ait aussi une cuisine.

12. Pour aller à la campagne :

13. Il faut que vous ayez le temps.

14. Il est nécessaire que vous ayez écrit à vos parents.

15. Il ne faut pas qu'il y ait de grève des transports.

1. Faire précéder de « hace falta que... »

tengo un abrigo
tenemos un coche
la casa tiene un zaguán
Ud tiene su mapa

2. Compléter avec le verbe « haber »

es necesario que yo....... escrito la dirección
es preciso que ellos....... dicho adiós a Pedro
es menester que Ud....... terminado su trabajo
hace falta que Uds .... visto a mis padres

3. Traduire

il faut que nous fassions attention
il est nécessaire que vous ayez vu vos amis (V. P.)
il faut que vous fumiez moins
il faut que la maison ait une salle à manger
il est nécessaire qu'elle ait aussi une salle de bains

C 2 INFORMATIONS PRATIQUES

En una tienda

¿Qué desea Ud?

Quisiera un ...
Estoy sólo mirando.
¿Puede Ud enseñarme...?
El del escaparate.
No, no me gusta.
Es caro, ¿tiene Ud algo más barato?

¿Cuánto es? ¿Cuánto cuesta esto?
¿Puedo pagar con cheques de viaje?
Me lo llevo.
Envíelo a esta dirección.

Gracias. Adiós.

1. Faire précéder de « hace falta que... »

hace falta que tenga un abrigo
hace falta que tengamos un coche
hace falta que la casa tenga un zaguán
hace falta que Ud tenga su mapa

2. Compléter avec le verbe « haber »

es necesario que yo haya escrito la dirección
es preciso que ellos hayan dicho adiós a Pedro
es menester que Ud haya terminado su trabajo
hace falta que Uds hayan visto a mis padres

3. Traduire

hace falta que tengamos cuidado
es necesario que Uds hayan visto a sus amigos
hace falta que Ud fume menos.
hace falta que la casa tenga un comedor
es necesario que tenga también un cuarto de baño

C 4 TRADUCTION

Dans une boutique

Que désirez-vous?

Je voudrais un ...
Je regarde seulement.
Pouvez-vous me montrer ...?
Celui de la vitrine.
Non, il ne me plaît pas (je ne l'aime pas).
C'est cher, avez-vous quelque chose de meilleur marché?

Combien est-ce? Combien ceci coûte-t-il?
Puis-je payer avec des chèques de voyage?
Je l'emporte.
Envoyez-le à cette adresse.

Merci. Au revoir.

A 1 PRÉSENTATION

Infinitif en **-acer, -ecer, -ocer, -ucir**

présent de l'indicatif

obedecer	*obéir*
obedezco	*j'obéis*
obedeces	*tu obéis*
obedece	*il obéit*
obedecemos	*nous obéissons*
obedecéis	*vous obéissez*
obedecen	*ils obéissent*

la ayuda	*l'aide*	ninguno	*aucun*
la comprensión	*la compréhension*	agradecer	*remercier, être reconnaissant*
el marido	*le mari*	aparecer	*paraître*
el partido	*le parti*	conocer	*connaître*
el telediario	*le journal télévisé*	parecerse a	*ressembler*
el tío	*l'oncle*	pertenecer	*appartenir*

A 2 APPLICATION

1. ¿Obedeces a tu marido? — Claro, obedezco a mi marido.
2. ¿A quién obedece Ud? — Yo, no obedezco a nadie.
3. ¿Aparece Ud en el telediario? — Si, aparezco en él.
4. ¿Se parece Ud a su tío? — Sí, me parezco mucho a él.
5. ¿Pertenece Ud a un partido? — No pertenezco a un partido.
6. A ningún partido pertenezco. No pertenezco a nadie.
7. ¿Conoce Ud a mi mujer? — No, no la conozco.
8. No conozco a nadie. No conozco a su tío.
9. No conozco nada. No conocemos nada.
10. Le agradezco su ayuda, Señor. También le agradezco su comprensión.
11. No conozco a quien no me obedece.
12. No obedezco a quien no conozco.

A 3 REMARQUES

■ Rappel. Tous les infinitifs proposés ci-contre ont un « **c** » devant un « **e** », attention à la prononciation [Z]

■ Les verbes dont l'infinitif est terminé en **-acer, -ecer, -ocer** ou **-ucir** sont **irréguliers à la première personne du singulier de l'indicatif présent** : tous, à cette personne, se terminent en -ZCo
obedecer = obedeZCo   pertenecer = perteneZCo

■ Trois verbes font exception :
> **cocer** (cuire) : **cuezo,** cueces, etc.
> **mecer** (bercer) : **mezo,** meces, etc
> **hacer** (faire) : (V. leçon 23) et le composé **satisfacer** (satisfaire).

■ **Ninguno** fait partie des adjectifs qui perdent la voyelle finale lorsqu'ils précèdent un nom masculin singulier (p. 256)

■ Rappel. Le complément d'objet direct représentant une personne (**marido, mujer, tío, nadie,** etc.) est précédé de « **a** »

■ **Agradecer:** attention à la construction, l'espagnol dit « remercier quelque chose ».

■ Attention : « vous » = V. S.

A 4 TRADUCTION

1. Obéis-tu à ton mari? — Bien sûr, j'obéis à mon mari.

2. A qui obéissez-vous? — Moi, je n'obéis à personne.

3. Paraissez-vous dans le journal télévisé? — Oui, j'y parais.

4. Ressemblez-vous à votre oncle? — Oui, je lui ressemble beaucoup.

5. Appartenez-vous à un parti? — Je n'appartiens pas à un parti.

6. Je n'appartiens à aucun parti. Je n'appartiens à personne.

7. Connaissez-vous ma femme? — Non, je ne la connais pas.

8. Je ne connais personne. Je ne connais pas votre oncle.

9. Je ne connais rien. Nous ne connaissons rien.

10. Je vous remercie de votre aide, Monsieur. Je vous remercie également de votre compréhension.

11. Je ne connais pas celui qui ne m'obéit pas.

12. Je n'obéis pas à celui que je ne connais pas.

18 ■ No parece que Uds obedezcan

B 1 PRÉSENTATION

Infinitif en **-acer, -ecer, -ocer, -ucir**

présent du subjonctif

	conocer	connaître
(conoZCo)	**conozca**	*que je connaisse*
	conozcas	*que tu connaisses*
	conozca	*qu'il connaisse*
	conozcamos	*que nous connaissions*
	conozcáis	*que vous connaissiez*
	conozcan	*qu'ils connaissent*

el error	*l'erreur*	permanecer	*rester*
desaparecer	*disparaître*	reconocer	*reconnaître*
enriquecerse	*s'enrichir*	más vale que	*il vaut mieux que*
establecerse	*s'établir*	parece que	*il paraît que*
ofrecer	*offrir*	cada día más	*de plus en plus*
padecer	*souffrir*	tanto	*tant, tellement*

B 2 APPLICATION

1. Hace falta que conozcamos vuestro modo de pensar.
2. No parece que Uds obedezcan rápidamente.
3. No parece que ella padezca cada día más.
4. Es indispensable que Ud ofrezca flores.
5. Más vale que él desaparezca inmediatamente.
6. Es mejor que nos establezcamos en esta ciudad.
7. Que permanezca yo o no, es igual, ¿verdad?
8. No me parece útil que ella permanezca tanto.
9. Es fácil que Ud se enriquezca rápidamente.
10. No es fácil que ellos reconozcan sus errores.
11. Más vale que ellas obedezcan y no permanezcan.
12. No me parece indispensable que ofrezcas esto.
13. Ella no quiere que lo reconozcas tan rápidamente.
14. Que no pertenezca él a nadie me parece muy bien.

B 3 REMARQUES

■ Le subjonctif présent des verbes dont l'infinitif est terminé en **-acer, -ecer, -ocer** et **-ucir comportera** à toutes les personnes **l'irrégularité qui affecte la première personne du présent de l'indicatif :**
conocer (conoZCo)   conoZCa, conoZCas, conoZCa, etc.

■ **Cada día más** = (chaque jour plus) de plus en plus. On dit aussi **« cada vez más »**.

■ **Error** = l'erreur ; en espagnol, tous les noms terminés en « or » sont masculins, alors que la plupart d'entre eux sont féminins en français. Il y a cependant des exceptions : **la flor** = la fleur ; **la labor** = le travail.

■ **Vous,** sans autre précision, correspond au **V.S.**

B 4 TRADUCTION

1. Il faut que nous connaissions votre (T. P.) façon de penser.
2. Il ne semble pas que vous obéissiez (V. P.) rapidement.
3. Il ne semble pas qu'elle souffre de plus en plus.
4. Il est indispensable que vous offriez des fleurs.
5. Il vaut mieux quil disparaisse immédiatement.
6. Il est mieux que nous nous établissions dans cette ville.
7. Que je reste ou non, c'est pareil, n'est-ce pas?
8. Il ne me semble pas utile qu'elle reste tant.
9. Il est probable que vous vous enrichissiez rapidement.
10. Il n'est pas probable qu'ils reconnaissent leurs erreurs.
11. Il vaut mieux qu'elles obéissent et qu'elles ne restent pas.
12. Il ne me semble pas indispensable que tu offres cela.
13. Elle ne veut pas que tu le reconnaisses si vite.
14. Qu'il n'appartienne à personne me paraît très bien.

1. Traduisez (mériter = merecer)

a) Je ne mérite pas cela
b) Tu n'obéis à personne
c) Je ne connais personne
d) J'appartiens à ce parti
e) Je m'établis ici
f) Je souffre toujours
g) Je ne m'enrichis pas
h) Je ne reconnais rien

2. Traduisez (vieillir = envejecer)

Il vaut mieux
a) que cela n'apparaisse pas tout de suite.
b) qu'elle ne reconnaisse rien.
c) que vous disparaissiez immédiatement (T. P.).
d) que ce vin vieillisse un peu.
e) que vous ne restiez (T. P.) pas ici.
f) que tu n'offres rien à personne.
g) que tu ne t'enrichisses pas trop vite.
h) que vous le remerciiez (V. P.) de son aide.

C 2 INFORMATIONS PRATIQUES

En el restaurante

— « ¡Camarero! por favor. Quisiera la minuta. »
— « ¿Quieren Uds beber algo antes de comer? »
— « Sí, con gusto. Dos « Jérez » por favor. »
— ¿Qué vamos a tomar?

> una ensalada mixta o una tortilla
> carne o pescado
> merluza o calamares
> una chuleta o un bistec
> queso o natillas
> fruta o pastel

— « También nos dará un vino tinto. Una jarra. Y una botella de agua mineral. Sin gas. »
— « Yo, después, tomaré un café solo. Para mí, será un cortado. »

un tenedor	un vaso
una cuchara	la sal
un cuchillo	la pimienta
una cucharilla	la mostaza

1. Traduisez

a) No merezco esto
b) No obedeces a nadie
c) No conozco a nadie
d) Pertenezco a este partido.

e) Me establezco aquí
f) Siempre padezco
g) No me enriquezco
h) No reconozco nada

2. Traduisez

Más vale
    a) que esto no aparezca inmediatamente.
    b) que ella no reconozca nada.
    c) que vosotros desaparezcáis inmediatamente.
    d) que este vino envejezca un poco.
    e) que vosotros no permanezcáis aquí.
    f) que no ofrezcas nada a nadie.
    g) que no te enriquezcas demasiado pronto.
    h) que Uds le agradezcan su ayuda.

C 4 TRADUCTION

Au restaurant

— « Garçon! S'il vous plaît. Je voudrais le menu. »
— « Voulez-vous boire quelque chose avant de manger? »
— « Oui, avec plaisir. Deux « Jérez » s'il vous plaît. »
— « Qu'allons-nous prendre?

> une salade composée ou une omelette
> de la viande ou du poisson
> du colin ou des calmars
> un filet ou un beefsteak
> un fromage ou une crème
> un fruit ou un gâteau? »

— « Vous nous donnerez également un vin rouge. Un pichet. Et une bouteille d'eau minérale. Non gazeuse. »
— « Moi, après, je prendrai un café noir. Pour moi, ce sera un café crème.

une fourchette	un verre
une cuiller	le sel
un couteau	le poivre
une cuiller à café	la moutarde

19 ■ Les hablo a Uds

A 1 PRÉSENTATION

Pronoms personnels compléments indirects

me	*me*	**nos**	*nous*
te	*te*	**os**	*vous (T. P.)*
le	*lui, vous (V. S.)*	**les**	*leur, vous (V. P.)*

le hablo (a él, a ella)	*je lui parle*
le hablo (a Ud)	*je vous parle (V. S.)*
les hablo (a ellos, a ellas)	*je leur parle*
les hablo (a Uds)	*je vous parle (V. P.)*

la ayuda	*l'aide*	el tío	*l'oncle*
el hermano	*le frère*	el vecino	*le voisin*
la portera	*la concierge*	alquilar	*louer*
el primo	*le cousin*	contestar	*répondre*
el sobrino	*le neveu*	prometer	*promettre*

A 2 APPLICATION

1. Hablo a mi vecino = le hablo (a él).
2. Hablo a la portera = le hablo (a ella).
3. ¿Me habla Ud? — Sí señor, le hablo (a Ud).
4. ¿Me habla Ud? — Sí señora, le hablo (a Ud).
5. Escribo a mis hermanos = les escribo a ellos.
6. Escribo a mis primas = les escribo a ellas.
7. ¿Nos escribe Ud? — Sí señores, les escribo (a Uds).
8. ¿Nos escribe Ud? — Sí señoras, les escribo (a Uds).
9. ¿Me prometes tu ayuda? — Te prometo mi ayuda.
10. ¿Nos prometes tu ayuda? — Os prometo mi ayuda (T. P.).
11. ¿Me alquiláis la casa? — Te alquilamos la casa.
12. ¿Nos alquiláis la casa? — Os alquilamos la casa (T. P.).
13. ¿Me contestan Uds? — Le contestamos (a Ud).
14. ¿Nos contestan Uds? — Les contestamos (a Uds).
15. ¿Contestas a tu tío? — Le contesto (a él).
16. ¿Contestas a tus sobrinas? — Les contesto (a ellas).

19 ■ Je vous parle

A 3 REMARQUES

■ **Les pronoms personnels compléments** employés sans préposition, sont placés avant le verbe (sauf à l'infinitif, au gérondif et à l'impératif).

■ Les pronoms personnels compléments de **la 1re et de la 2e personne au singulier et au pluriel** présentent une forme commune pour les fonctions de complément direct et de complément indirect : **me, te, nos, os.**

■ **Les formes indirectes de la 3e personne sont « le » au singulier et « les » au pluriel.** Le sens exact de ces pronoms peut être précisé en faisant suivre le verbe des formes : **a él, a ella, a Ud, a ellos, a ellas** et **a Uds.**

■ **Comment distinguer les pronoms compléments indirects des directs?** Pour ces derniers, on passe directement du verbe au pronom (question : qui? quoi?) tandis que pour les indirects on passe par l'intermédiaire d'une préposition (question : à qui? à quoi? de qui? etc.).

A 4 TRADUCTION

1. Je parle à mon voisin = je lui parle.
2. Je parle à la concierge = je lui parle.
3. Me parlez-vous? — Oui monsieur, je vous parle.
4. Me parlez-vous? — Oui madame, je vous parle.
5. J'écris à mes frères = je leur écris.
6. J'écris à mes cousines = je leur écris.
7. Nous écrivez-vous? — Oui messieurs, je vous écris.
8. Nous écrivez-vous? — Oui mesdames, je vous écris.
9. Me promets-tu ton aide? — Je te promets mon aide.
10. Nous promets-tu ton aide? Je vous promets mon aide (T. P.).
11. Me louez-vous la maison (T.P.)? — Nous te louons la maison.
12. Nous louez-vous la maison (T.P.) ? — Nous vous louons la maison.
13. Me répondez-vous (V.P.)? — Nous vous répondons.
14. Nous répondez-vous (V.P.)? — Nous vous répondons.
15. Réponds-tu à ton oncle? — Je lui réponds.
16. Réponds-tu à tes nièces? — Je leur réponds.

19 ■ Los escucho a Uds

Pronoms personnels compléments directs

me	*me*	**nos**	*nous*
te	*te*	**os**	*vous (T. P.)*
le, lo	*le, vous (V. S.)*	**los**	*les, vous (V. P.)*
la	*la, vous (V. S.)*	**las**	*les, vous (V. P.)*

le ve (al señor) (a Ud)	*il le voit, il vous voit*
la ve (a la señora) (a Ud)	*il la voit, il vous voit*
lo ve (el animal)	*il le voit*
la ve (la cosa)	*il la voit*
los ve (a ellos) (a Uds)	*il les voit, il vous voit*
las ve (a ellas) (a Uds)	*il les voit, il vous voit*

la emisión	*l'émission*	buscar	*chercher*
la frase	*la phrase*	comprender	*comprendre*
el novio	*le fiancé*	escuchar	*écouter*
el problema	*le problème*	molestar	*déranger, gêner*

B 2 APPLICATION

1. Comprendo el problema = lo comprendo.
2. Comprendo la frase = la comprendo.
3. Comprendo a este señor = le (lo) comprendo (a él).
4. Comprendo a esta señora = la comprendo (a ella).
5. ¿Me comprende Ud? — Sí señor, le (lo) comprendo (a Ud).
6. ¿Me comprende Ud? — Sí señora, la comprendo (a Ud).
7. Escucho a mis padres = los escucho.
8. Escucho las emisiones = las escucho.
9. ¿Nos escuchan Uds? — Sí señores, los escuchamos (a Uds)
10. ¿Nos escuchan Uds? — Sí señoras, las escuchamos (a Uds).
11. ¿Molesto a Inés? — Sí, Ud la molesta.
12. ¿Molesto a Antonio? — Sí, Ud le (lo) molesta.
13. ¿Molestamos este animal? — Sí, Uds lo molestan.
14. ¿Los molesto a Uds? — No, Ud no nos molesta.
15. ¿Buscas a tu novio? — Sí, le (lo) busco.
16. ¿Buscas a tu novia? — Sí, la busco.

B 3 REMARQUES

■ **Les pronoms personnels compléments directs** sont les mêmes que les indirects **(me, te, nos, os)** sauf à la 3e personne du singulier et du pluriel.

■ Selon l'Académie, la forme normale du régime direct de **la 3e personne du singulier est « lo » au masculin et « la » au féminin.**

Cependant, surtout en Espagne, **« le » est souvent employé à la place de « lo »** s'il s'agit d'une personne de sexe masculin.

■ La forme normale du régime de **la 3e personne du pluriel** est toujours **« los » au masculin et « las » au féminin.**

■ Comme pour les pronoms compléments indirects, le sens exact des pronoms de la 3e personne peut être précisé en faisant suivre le verbe des formes : **a él, a ella, a Ud, a ellos, a ellas, et a Uds.**

B 4 PRÉSENTATION

1. Je comprends le problème = je le comprends.
2. Je comprends la phrase = je la comprends.
3. Je comprends ce monsieur = je le comprends.
4. Je comprends cette dame = je la comprends.
5. Me comprenez-vous? — Oui monsieur, je vous comprends.
6. Me comprenez-vous? — Oui madame, je vous comprends.
7. J'écoute mes parents = je les écoute.
8. J'écoute les émissions = je les écoute.
9. Nous écoutez-vous (V. P.)? — Oui messieurs, nous vous écoutons.
10. Nous écoutez-vous (V. P.)? — Oui mesdames, nous vous écoutons.
11. Est-ce que je dérange Inés? — Oui, vous la dérangez.
12. Est-ce que je dérange Antoine? — Oui, vous le dérangez.
13. Dérangeons-nous cet animal? — Oui, vous le dérangez.
14. Est-ce que je vous dérange (V. P.)? — Non, vous ne nous dérangez pas.
15. Cherches-tu ton fiancé? — Oui, je le cherche.
16. Cherches-tu ta fiancée? — Oui, je la cherche.

1. Répondre affirmativement en utilisant un pronom

¿Habla Ud a su vecino?
¿Escuchan Uds a sus padres?
¿Me comprende Ud? — Sí señor, ...
¿Nos escribe Ud? — Sí señoras, ...
¿Buscas a Antonio?
¿Comprendes estos problemas?

2. Traduire

Me parlez-vous? — Oui monsieur, je vous parle.
Nous cherches-tu? — Oui messieurs, je vous cherche.
M'écrivez-vous? — Oui madame, je vous écris.
Nous écoutes-tu? — Oui mesdames je vous écoute.
Me comprenez-vous? — Oui madame, je vous comprends.
Dérangeons-nous vos parents? — Oui, vous les dérangez.

Il loue la maison. Il la loue à son frère.
Il lui loue la maison.
Ils promettent leur aide. Ils la promettent à leurs cousins.
Ils leur promettent leur aide.

C 2 INFORMATIONS PRATIQUES

En el hotel

Quisiera una habitación con baño y balcón.

Hemos reservado dos habitaciones : una habitación sencilla con ducha y una habitación doble con vista al mar.
¿Tienen aire acondicionado? ¿Agua fría y agua caliente?

¿Cuánto tiempo se va a quedar?
Rellene Ud esta ficha y firme aquí.
¿Está todo incluido? ¿Impuestos y servicio?
¿Cuál es el número de mi habitacion?
¿No tienen Uds una habitación más tranquila?
¿Cuál es el voltaje aquí?

1. Répondre affirmativement en utilisant un pronom

— Sí, le hablo (ind.).
— Sí, los escuchamos (dir.).
— Sí señor, le comprendo (dir.).
— Sí señoras, les escribo (ind.).
— Le busco (dir.).
— Los comprendo (dir.).

2. Traduire

¿Me habla Ud? — Sí señor, le hablo (a Ud).
¿Nos buscas? — Sí señores, los busco (a Uds).
¿Me escribe Ud? — Sí señora, le escribo (a Ud).
¿Nos escuchas? — Sí señoras, las escucho (a Uds).
¿Me comprende Ud?— Sí señora, la comprendo (a Ud).
¿Molestamos a sus padres? — Sí, Uds los molestan.

Alquila la casa. La alquila a su hermano.
Le alquila la casa.
Prometen su ayuda. La prometen a sus primos.
Les prometen su ayuda

C 4 TRADUCTION

A l'hôtel

Je voudrais une chambre avec salle de bains et balcon.

Nous avons réservé deux chambres : une chambre individuelle avec douche et une chambre double avec vue sur la mer.
Ont-elles l'air conditionné? Eau froide et eau chaude?

Combien de temps allez-vous rester?
Remplissez cette fiche et signez ici.
Tout compris? Taxes et service?
Quel est le numéro de ma chambre?
N'avez-vous pas une chambre plus tranquille?
Quel est le voltage ici?

A 1 PRÉSENTATION

L'emploi de deux pronoms compléments consécutifs (I)
toujours l'indirect + le direct (en espagnol)

Singulier 1   **me** ⎫
         2   **te** ⎬ + **le, lo, la, los, las.**
Pluriel   1   **nos** ⎪
         2   **os** ⎭

Me enseña un libro   **me lo enseña.**
Nos enseña las cartas   **nos las enseña.**

el aparato	*l'appareil*	el viaje	*le voyage*
la carta	*la lettre*	aconsejar	*conseiller*
el libro	*le livre*	comunicar	*communiquer*
la mano	*la main*	estrechar	*serrer*
la noticia	*la nouvelle*	enseñar	*montrer*
el problema	*le problème*	explicar	*expliquer*
el regalo	*le cadeau*	llevar	*porter, apporter*

A 2 APPLICATION

1. Tienes un libro. ¿Me lo enseñas?
2. — Sí, te lo enseño.
3. Tienes las cartas. ¿Nos las enseñas?
4. — Sí, os las enseño (T. P.).
5. ¿Nos llevas el regalo?
6. — Sí, os lo llevo (T. P.).
7. ¿Me estrechas la mano?
8. — Sí, te la estrecho.
9. Este problema, ¿me lo explicas?
10. — Sí, te lo explico.
11. Este viaje, ¿me lo aconsejas?
12. — Sí, te lo aconsejo.
13. Esta noticia, ¿nos la comunicas?
14. — Sí, os la comunico, (T, P.).
15. Estos aparatos, ¿nos los lleváis?
16. — Sí, os los llevamos. (T. P.).

A 3 REMARQUES

■ Lorsque **deux pronoms compléments** se suivent, l'ordre en espagnol est toujours : **pronom indirect + pronom direct.**

■ **Rappel :** les pronoms compléments indirects sont : **me, te, le, nos, os, les.**
Les pronoms compléments directs sont : **me, te, le, lo, la, nos, os, los, las.**

■ Rappel : la forme du pronom complément direct **le** est généralement employée en Espagne **à la place de lo s'il s'agit d'une personne de sexe masculin.** Par contre la forme normale de la 3ᵉ personne du masculin pluriel reste toujours **los.**

■ **Rappel :** les pronoms personnels compléments sont placés **avant le verbe** (sauf à l'infinitif, au gérondif et à l'impératif).

A 4 TRADUCTION

1. Tu as un livre. Me le montres-tu?

2. — Oui, je te le montre.

3. Tu as les lettres. Nous les montres-tu?

4. — Oui, je vous les montre (T. P.).

5. Nous apportes-tu le cadeau?

6. — Oui, je vous l'apporte (T. P.).

7. Me donnes-tu (serres-tu) la main?

8. — Oui, je te la donne (serre).

9. Ce problème, tu me l'expliques?

10. — Oui, je te l'explique.

11. Ce voyage, tu me le conseilles?

12. — Oui, je te le conseille.

13. Cette nouvelle, tu nous la communiques?

14. — Oui, je vous la communique (T. P.).

15. Ces appareils, vous nous les apportez?

16. — Oui, nous vous les apportons (T.P.).

B 1 PRÉSENTATION

L'emploi de deux pronoms compléments consécutifs (II)

Toujours l'indirect + le direct (en espagnol)

Singulier 3 : **(le)** → **se** }
Pluriel   3 : **(les)** → **se** } **+ le, lo, la, los, las**

| **Le explico (a Juan)** | = je lui explique (ind.) |
| **+ Lo explico (el problema)** | = je l'explique   (dir.) |

Se lo explico (le → se) = je le lui explique

la bicicleta	*la bicyclette*	el paquete	*le paquet*
la colección	*la collection*	cambiar	*changer*
el dinero	*l'argent*	prestar	*prêter*
la explicación	*l'explication*	recordar (ue)	*rappeler*
el marido	*le mari*	regalar	*offrir*

B 2 APPLICATION

1. ¿Me explica Ud el problema? — Se lo explico (a Ud).

2. ¿Nos explica Ud el problema? — Se lo explico (a Uds).

3. ¿Lo explica Ud a Jaime? — Se lo explico (a él).

4. ¿Lo explica Ud a Rosita? — Se lo explico (a ella).

5. ¿Y a sus hijos? — Se lo explico (a ellos).

6. ¿Y a sus hijas? — Se lo explico (a ellas).

7. ¿Enseña Ud esta colección a su marido? — Se la enseño (a él).

8. ¿Cambia Ud dinero a los turistas? — Se lo cambio (a ellos).

9. ¿Me presta Ud su bicicleta? — Se la presto (a Ud).

10. ¿Nos regala Ud estos libros? — Se los regalo (a Uds).

11. ¿Le mandamos este paquete? — Se lo mandamos (a él).

12. ¿Nos recuerdan Uds las explicaciones? — Se las recordamos a Uds.

13. Mandamos este regalo a Ana? — Se lo mandamos (a ella).

B 3 REMARQUES

■ Lorsque **deux pronoms compléments consécutifs** commencent par un **l**, le premier qui est toujours **l'indirect le** ou **les**, se change en **se**.

■ Le pronom complément direct **le, lo, la, los, las** seul varie et se place en second lieu.

■ Le sens exact du pronom **se** peut être précisé si cela est nécessaire en faisant suivre le verbe de : **a él, a ella, a Ud, a ellos, a ellas, a Uds**.

Exemple :

Se lo enseño	**a él**	je le lui montre (masc.)
	a ella	je le lui montre (fém.)
	a Ud	je vous le montre (V. S.)
	a ellos	je le leur montre (masc.)
	a ellas	je le leur montre (fém.)
	a Uds	je vous le montre (V. P.)

B 4 TRADUCTION

1. M'expliquez-vous le problème? — Je vous l'explique.

2. Nous expliquez-vous le problème? — Je vous (V. P.) l'explique.

3. L'expliquez-vous à Jacques? — Je le lui explique.

4. L'expliquez-vous à Rosita? — Je le lui explique.

5. Et à vos fils? (V. P.) — Je le leur explique.

6. Et à vos filles? (V. P.) — Je le leur explique.

7. Montrez-vous cette collection à votre mari? — Je la lui montre.

8. Changez-vous de l'argent aux touristes? — Je le leur change.

9. Me prêtez-vous votre bicyclette? — Je vous la prête.

10. Nous offrez-vous ces livres? — Je vous les (V. P.) offre.

11. Lui envoyons-nous ce paquet? — Nous le lui envoyons.

12. Nous rappelez-vous les explications? — Nous vous (V. P.) les rappelons.

13. Envoyons-nous ce cadeau à Anne? — Nous le lui envoyons.

1. Répondre en utilisant deux pronoms

¿Me acònseja Ud este viaje?
¿Nos comunica Ud la noticia?
¿Me explicas el problema?
¿Nos enseñáis los libros?
¿Prestan Uds dinero a Julio?
¿Les escriben Uds estas cartas?

2. Traduire

Nous communiquez-vous la nouvelle? (V. P.)
— Nous vous la communiquons.
Me montrez-vous ces paquets?
— Je vous les montre.
Offrez-vous ces livres à vos (V. P.) amis?
— Je les leur offre.
Prêtez-vous cette bicyclette à Jacques?
— Je la lui prête.
Envoyez-vous ces cadeaux à vos parents (V. P.)?
— Nous les leur envoyons.

C 2 INFORMATIONS PRATIQUES

El sobre

sello

Sr. D. Santiago Segura

Calle San Luis, 6, 4º izda

BARCELONA   Espagne

1. Répondre en utilisant deux pronoms

— Se lo aconsejo (a Ud).
— Se la comunico (a Uds).
— Te lo explico.
— Os los enseñamos (T. P.).
— Se lo prestamos (a él).
— Se las escribimos (a ellos).

2. Traduire

¿Nos comunican Uds la noticia?
— Se la comunicamos.
¿Me enseña Ud estos paquetes?
— Se los enseño.
¿Regala Ud estos libros a sus amigos?
— Se los regalo.
¿Presta Ud esta bicicleta a Jaime?
— Se la presto.
¿Mandan Uds estos regalos a sus padres?
— Se los mandamos.

C 4 TRADUCTION ET REMARQUES

el sobre	l'enveloppe	**la avenida**	l'avenue
el sello	le timbre	**la plaza**	la place
la dirección	l'adresse	**el paseo**	la promenade
las señas	l'adresse	**nombre (de pila)**	prénom
la calle	la rue	**el apellido**	nom de famille

Abréviations :
Sr. D. = Señor Don
Sra. Dña. = Señora Doña

calle = c /
izda = izquierda (gauche)
dcha = derecha (droite)

■ Don et Doña ne s'emploient que devant le prénom.

■ Le numéro de la rue et l'étage sont toujours indiqués après le nom de la rue.

21 ■ No siento nada

A 1 PRÉSENTATION

Verbes du type **sentir** : présent de l'indicatif

sentir	*sentir, regretter, entendre*
siento	*je sens*
sientes	*tu sens*
siente	*il sent*
sentimos	*nous sentons*
sentís	*vous sentez*
sienten	*ils sentent*

el hambre	*la faim*	mentir	*mentir*
el olor	*l'odeur*	morir	*mourir*
la pena	*la peine*	preferir	*préférer*
advertir	*faire remarquer*	referirse	*se référer*
divertirse	*s'amuser*	lo de	*l'affaire, l'histoire de*
dormir	*dormir*		

A 2 APPLICATION

1. ¿Sientes el olor del mar? — No, no siento nada.
2. ¿Sienten Uds mucha pena? — Sí, sentimos mucha pena.
3. ¿Siente Ud que ella beba? — ¡Claro que lo siento!
4. ¿Sientes el viento? — Sí, lo siento.
5. Te advierto que no quiero nada.
6. No te diviertes, ¿verdad? — No, no me divierto.
7. ¿Por qué me mientes? — Pero, no te miento.
8. ¿Prefieres que él se quede? — Sí, lo prefiero.
9. ¿A qué te refieres? — Me refiero a lo de ayer.
10. Te mueres de hambre, ¿no? — Sí, me muero de hambre.
11. ¿Duermes mucho? — Sí, duermo mucho.
12. Os advierto que prefiero divertirme.
13. Nunca miento. Prefiero callarme.

A 3 REMARQUES

■ Rappel. **Olor** : les mots espagnols terminés en **-or** sont masculins, sauf **flor** et **labor.**
Frío : adjectif qui signifie « froid », mais comme en français, s'il est précédé de l'article, il devient un nom : le froid.
Lo de : expression commode et qui se réfère à quelque chose qui est connu de votre interlocuteur :
l'affaire, la question, l'histoire de

■ Les verbes du type de **sentir** (p. 269) ont un présent de l'indicatif à diphtongue, c'est-à-dire que la dernière voyelle du radical -le **e-** devient **ie** aux trois premières personnes du singulier et à la 3ᵉ personne du pluriel :

sentir   ie - ie - ie - e - e - ie

Morir et **dormir** ont une conjugaison parallèle à celle de **sentir** :

dormir   ue - ue - ue - o - o -ue

A 4 TRADUCTION

1. Sens-tu l'odeur de la mer? — Non, je ne sens rien.

2. Éprouvez-vous (V. P.) beaucoup de peine? — Oui, nous éprouvons beaucoup de peine.

3. Regrettez-vous qu'elle boive? — Bien sûr que je le regrette.

4. Entends-tu le vent? — Oui, je l'entends.

5. Je te fais remarquer que je ne veux rien.

6. Tu ne t'amuses pas, n'est-ce pas? — Non, je ne m'amuse pas.

7. Pourquoi me mens-tu? — Mais, je ne te mens pas.

8. Préfères-tu qu'il reste? — Oui, je le préfère.

9. A quoi te réfères-tu? — Je me réfère à l'histoire d'hier.

10. Tu meurs de faim, non? — Oui, je meurs de faim.

11. Tu dors beaucoup? — Oui, je dors beaucoup.

12. Je vous (T. P.) fais remarquer que je préfère m'amuser.

13. Je ne mens jamais. Je préfère me taire.

21 ■ Siento mucho que te diviertas así

B 1 PRÉSENTATION

Verbes du type **sentir** : présent du subjonctif

sentir	*sentir, regretter, entendre*
sienta	*que je sente*
sientas	*que tu sentes*
sienta	*qu'il sente*
sintamos	*que nous sentions*
sintáis	*que vous sentiez*
sientan	*qu'ils sentent*

el asunto	*le sujet, le thème*	convertirse	*se convertir*
la lluvia	*la pluie*	invertir	*investir*
el negocio	*l'affaire commerciale*	así	*ainsi, de cette façon*
la obra	*l'œuvre*	ni hablar	*pas question*
la sed	*la soif*		

B 2 APPLICATION

1. Siento mucho que te diviertas así.

2. Ella siente mucho que siempre nos refiramos a este asunto.

3. Uds prefieren que nos divirtamos sin gastar dinero.

4. Más vale que no mintamos, ¿verdad?

5. Hace falta que Uds inviertan dinero en este negocio.

6. ¿Dormir para olvidar? No es útil que durmamos para olvidar.

7. ¿Invertir en esto? Ni hablar. No quiero que invirtáis.

8. Es imposible que os muráis de sed, con esta lluvia.

9. Prefiero que no te refieras a esta obra.

10. Sentimos que os convirtáis tan rápidamente.

11. No quiero que os refiráis a esto sin permiso.

12. No es bueno que os divirtáis siempre.

13. Él nos advierte que no es posible que nos divirtamos.

14. No es indispensable que invirtamos todo nuestro dinero.

21 ■ Je regrette beaucoup que tu t'amuses comme ça

B 3 REMARQUES

■ Les verbes du type de **sentir** ont un présent du subjonctif qui a deux sortes d'irrégularité :
— le e du radical devient **ie** aux **trois premières personnes du singulier et à la 3ᵉ du pluriel,** c'est la diphtongue :

     e   ie - ie - ie ie

— le e du radical devient **i** aux **deux premières personnes du pluriel :**

     e   i - i

Ainsi, au présent du subjonctif, les modifications de la dernière voyelle du radical sont les suivantes :

     sentir ie - ie - ie - i - i - ie

■ D'une façon semblable, les verbes **morir** et **dormir** présenteront les modifications semblables :

     morir ue - ue - ue - u - u - ue

B 4 TRADUCTION

1. Je regrette beaucoup que tu t'amuses comme ça.
2. Elle regrette beaucoup que nous nous référions toujours à ce sujet.
3. Vous préférez (V. P.) que nous nous amusions sans dépenser d'argent.
4. Il vaut mieux que nous ne mentions pas, n'est-ce pas?
5. Il faut que vous investissiez (V. P.) de l'argent dans cette affaire.
6. Dormir pour oublier? Il n'est pas utile que nous dormions pour oublier.
7. Investir dans cela? Pas question. Je ne veux pas que vous investissiez (T. P.).
8. Il est impossible que vous mouriez (T. P.) de soif, avec cette pluie.
9. Je préfère que tu ne te réfères pas à cette œuvre.
10. Nous regrettons que vous vous convertissiez (T. P.) si rapidement.
11. Je ne veux pas que vous vous référiez (T. P.) à cela sans autorisation.
12. Il n'est pas bon que vous vous amusiez (T. P.) toujours.
13. Il nous fait remarquer qu'il n'est pas possible que nous nous amusions.
14. Il n'est pas indispensable que nous investissions tout notre argent.

1. Conjuguez

à l'indicatif présent   au subjonctif présent

convertir   **invertir**
dormir   **morir**

2. Traduisez

                              je préfère...
- a) Vous regrettez (T. P.)?   e) que vous regrettiez
- b) Nous investissons?   f) que nous investissions
- c) Tu t'amuses beaucoup?   g) que tu t'amuses beaucoup
- d) Tu te convertis?   h) que tu te convertisses

3. Traduisez

- a) Mange cela. Je préfère que tu ne meures pas de faim.
- b) Bois cela. Je préfère que tu ne meures pas de soif.
- c) Je te préviens que je préfère m'amuser.
- d) Que vous dormiez ou non (T. P.), cela m'est égal.
- e) Que vous préfériez vous (T. P.) convertir, cela m'est égal.
- f) Je regrette que cette histoire d'hier ne t'amuse pas.

C 2 INFORMATIONS PRATIQUES

Para reservar una habitación

                        París, 8 de agosto de 19..

     Distinguido Señor :

     Un amigo mío que pasó una semana en su hotel, hace dos años, me ha dado su dirección.

     Confío en su recomendación y quisiera reservar una habitación con cama de matrimonio para las noches del 14 al 15 y del 15 al 16 de este mes.

     De antemano, le agradezco una respuesta rápida, que sea afirmativa o negativa.

     Le saluda atentamente,

1. Conjuguez à l'indicatif présent : convertir et dormir

convierto, conviertes, convierte, convertimos, convertís, convierten.
duermo, duermes, duerme, dormimos, dormís, duermen.

au subjonctif présent : invertir et morir
invierta, inviertas, invierta, invirtamos, invirtáis, inviertan.
muera, mueras, muera, muramos, muráis, mueran.

2. Traduisez

Prefiero...

a) ¿Lo sentís?
b) ¿Invertimos?
c) ¿Te diviertes mucho?
d) ¿Te conviertes?

e) que lo sintáis
f) que invirtamos
g) que te diviertas mucho
h) que te conviertas

3. Traduisez

a) Come esto. Prefiero que no te mueras de hambre.
b) Bebe esto. Prefiero que no te mueras de sed.
c) Te advierto que prefiero divertirme.
d) Que durmáis o no, me da igual.
e) Que prefiráis convertiros, me da igual.
f) Siento que lo de ayer no te divierta.

C 4 TRADUCTION

Pour réserver une chambre

Paris, 8 août 19..

Monsieur,

Un de mes amis, qui a passé une semaine dans votre hôtel il y a deux ans, m'a donné votre adresse.
J'ai confiance en sa recommandation et je voudrais réserver une chambre avec lit à deux places pour les nuits du 14 au 15 et du 15 au 16 de ce mois.
A l'avance, je vous remercie d'une réponse rapide, qu'elle soit affirmative ou négative.

Veuillez agréer...

A 1 PRÉSENTATION

Verbes du type **pedir** : présent de l'indicatif

pedir	*demander, exiger*
pido	*je demande*
pides	*tu demandes*
pide	*il demande*
pedimos	*nous demandons*
pedís	*vous demandez*
piden	*ils demandent*

la cuenta	*la note*	repetir	*répéter*
el queso	*le fromage*	seguir	*continuer*
despedirse de	*prendre congé*	seguir + gér.	*continuer à + inf.*
elegir	*choisir*	servir	*servir*
perseguir	*poursuivre*	vestirse	*s'habiller*
reírse de	*se moquer de*	una vez más	*une fois de plus*

A 2 APPLICATION

1. ¿Qué pides ahora? — Ahora pido un queso.
2. ¿Pides la cuenta? — Sí, pido la cuenta.
3. Me despido de Uds. — ¡Cómo! ¡Ud se despide!
4. ¿Repite Ud una vez más? — Sí, repito una vez más.
5. ¿Se ríen Uds de él? — No, no nos reímos de él.
6. ¡Cómo se viste Ud! — Me visto como quiero.
7. ¿Siguen Uds estudiando? — Sí, seguimos estudiando.
8. ¿Para qué sirve esto? — Esto no sirve para nada.
9. ¿Cómo se elige entre los dos si se ríen de todo?
10. ¿Por qué me persigues siempre?
11. ¡Qué cuentas! No te persigo.
12. ¿Seguimos esperándolos o nos despedimos?
13. No, Uds no se despiden. Uds siguen esperando, por favor.
14. Bueno, como quiera. Una vez más seguimos esperando.

A 3 REMARQUES

■ Les verbes du type de **pedir** (p. 269) ont un présent de l'indicatif irrégulier :
le **e** du radical se change en **i** aux **trois premières personnes du singulier et à la 3ᵉ personne du pluriel**
les deux premières personnes du pluriel conservent le **e** du radical :

      pedir   i - i - i - e - e - i

■ **Seguir** signifie suivre, continuer. Mais **seguir + le gérondif** signifie **continuer à**; c'est une des formes progressives :

      seguir estudiando = continuer à travailler.

■ Rappel. Le gérondif s'obtient de la façon suivante :

      tom-ar   tom-ando   tomando
      com-er   com-iendo   comiendo
      un-ir   un-iendo   uniendo

■ Attention à la modification orthographique des verbes terminés en **-guir** : devant un **o** ou un **a**, le **u** disparaît.

A 4 TRADUCTION

1. Que demandes-tu maintenant? — Maintenant je demande un fromage.
2. Demandes-tu la note? — Oui, je demande la note.
3. Je prends congé de vous (V. P.). — Comment! Vous prenez congé!
4. Répétez-vous une fois de plus? — Oui, je répète une fois de plus.
5. Vous moquez-vous (V. P.) de lui? — Non, nous ne nous moquons pas de lui.
6. Comme vous vous habillez! — Je m'habille comme je veux.
7. Continuez-vous (V. P.) à étudier? — Oui, nous continuons à étudier.
8. A quoi cela sert-il? — Cela ne sert à rien.
9. Comment choisit-on entre les deux s'ils se moquent de tout?
10. Pourquoi me poursuis-tu toujours?
11. Que racontes-tu? Je ne te poursuis pas.
12. Continuons-nous à les attendre ou prenons-nous congé?
13. Non, vous ne prenez pas congé. Vous continuez à attendre, s'il vous plaît.
14. Bon, comme vous voudrez. Une fois de plus, nous continuons à attendre.

B 1 PRÉSENTATION

Verbes du type **pedir** : présent du subjonctif

impedir	*empêcher*
impida	*que j'empêche*
impidas	*que tu empêches*
impida	*qu'il empêche*
impidamos	*que nous empêchions*
impidáis	*que vous empêchiez*
impidan	*qu'ils empêchent*

la acción	*l'action*	proseguir	*poursuivre, continuer*
preferible	*préférable*	así	*ainsi, comme ça*
concebir	*concevoir*	sin cesar	*sans cesse*
conseguir	*obtenir, réussir*	sino que	*mais que*

B 2 APPLICATION

1. Mi marido me impide elegir lo que quiero.
2. No concibo que te impida elegir.
3. ¿Por qué impides a tu hermana que hable?
4. No le impido nada. Que hable ella, si quiere.
5. No concibo que le impidas hablar.
6. No concebimos que Ud la persiga sin cesar.
7. Pero, ¿qué cuentan Uds? No la persigo.
8. ¡Cómo te vistes! — Me visto como quiero.
9. Es preferible que te despidas en seguida.
10. No os pido que lo repitáis, sino que sigáis.
11. ¿Cómo lo conseguís? — No concibes que lo consigamos.
12. ¡Cómo! ¡Me lo impides! Entonces, prosigo mi acción.
13. No quiero que prosigas tu acción. Es preferible obedecer.
14. Me gusta que elijáis esto y os vistáis así.

B 3 REMARQUES

■ Rappel. **Concebir, cesar:** attention aux « c » suivis de « e » qui se prononcent comme le « th » anglais.
Acción: le premier « c » est presque dur [k]; le deuxième est le « c » interdental [Z].

■ Les verbes du type **pedir** (p. 269) ont un présent du subjonctif irrégulier :
le **e** du radical se transforme en **i** à toutes les personnes
      p e dir   i - i - i - i - i - i

■ **pedir** et **concebir** sont suivis du subjonctif.

■ **impedir** peut être suivi de l'infinitif cu du subjonctif; cependant si le complément de **impedir** est un nom — et non pas un pronom — il faut mettre le subjonctif.

■ **elegir:** le « g » devient un « j » devant « o » ou « a ».

■ **sino que:** s'utilise quand la proposition qui suit s'oppose à la proposition qui précède.

B 4 TRADUCTION

1. Mon mari m'empêche de choisir ce que je veux.
2. Je ne conçois pas qu'il t'empêche de choisir.
3. Pourquoi empêches-tu ta sœur de parler?
4. Je ne l'empêche de rien. Qu'elle parle, si elle veut.
5. Je ne conçois pas que tu l'empêches de parler.
6. Nous ne concevons pas que vous la poursuiviez sans cesse.
7. Mais, que racontez-vous (V.P.)? Je ne la poursuis pas.
8. Comme tu t'habilles! — Je m'habille comme je veux.
9. Il est préférable que tu prennes congé tout de suite.
10. Je ne vous (T. P.) demande pas de répéter, mais de continuer.
11. Comment l'obtenez-vous (T. P.)? — Tu ne conçois pas que nous l'obtenions.
12. Comment ¡Tu m'en empêches! Alors je poursuis mon action.
13. Je ne veux pas que tu poursuives ton action. Il est préférable d'obéir.
14. J'aime que vous choisissiez (T. P.) cela et que vous vous habilliez comme ça.

1. Traduisez

a) Je te préviens que...
b) Tu ne m'amuses pas
c) Elle s'habille bien
d) Vous vous servez de ça

e) Il croit que nous mentons
f) Vous le regrettez (V. P.)
g) Ils investissent dans cela
h) Vous vous amusez (V. P.)

2. Traduisez

a) Je préfère que vous le répétiez (V. P.) encore une fois.
b) Je n'empêche personne de choisir ce qu'il veut.
c) Je te préviens que je dors toujours beaucoup.
d) Que tu lui mentes ne sert à rien, je te le répète.
e) Je vous (V. P.) demande de ne pas vous servir seuls.
f) Il n'est pas indispensable que vous l'élisiez (T. P.) maintenant.
g) Il me semble préférable que tu le lui répètes.
h) Nous préférons que vous investissiez (V. P.) dans d'autres affaires.

C 2 INFORMATIONS PRATIQUES

En la estación servicio

— Haga Ud el lleno, por favor.
— Écheme treinta litros de super.
— ¿Quiere Ud comprobar el nivel del aceite?
— ¿Quiere Ud comprobar la presión de los neumáticos?
— No funcionan los intermitentes.
— El limpiaparabrisas izquierdo no limpia. Está roto.
— ¿Puede Ud limpiarme el parabrisas?
— ¿Puede Ud limpiar también el cristal trasero, por favor?
— ¿Dónde están los servicios?
— Quisiera llamar por teléfono.
— ¿A cuántos kilómetros está...?

1. Traduisez

a) Te advierto que...
b) No me diviertes
c) Ella se viste bien
d) Ud se sirve de esto

e) Él cree que mentimos
f) Uds lo sienten
g) Ellos invierten en esto
h) Uds se divierten

2. Traduisez

a) Prefiero que Uds lo repitan una vez más.
b) No impido a nadie que elija lo que quiere.
c) Te advierto que duermo siempre mucho.
d) Que le mientas no sirve para nada, te lo repito.
e) Les pido que no se sirvan solos.
f) No es indispensable que le elijáis ahora.
g) Me parece preferible que se lo repitas.
h) Preferimos que Uds inviertan en otros negocios.

C 4 TRADUCTION

A la station-service

— Faites le plein, s'il vous plaît.
— Mettez-moi trente litres de super.
— Voulez-vous vérifier le niveau d'huile?
— Voulez-vous vérifier la pression des pneus?
— Les clignotants ne marchent pas.
— L'essuie-glace gauche n'essuie pas. Il est usé.
— Pouvez-vous nettoyer le pare-brise?
— Pouvez-vous également nettoyer la lunette arrière, s'il vous plaît?
— Où sont les toilettes?
— Je voudrais téléphoner.
— A combien de kilomètres se trouve...?

A 1 PRÉSENTATION

Présents de l'indicatif irréguliers (I)

poner	mettre		
pongo	je mets	ponemos	nous mettons
pones	tu mets	ponéis	vous mettez
pone	il met	ponen	ils mettent

valer	valoir	→	valgo, vales, vale, ...
salir	sortir, partir	→	salgo, sales, sale, ...
hacer	faire	→	hago, haces, hace, ...
traer	apporter	→	traigo, traes, trae, ...
caer	tomber	→	caigo, caes, cae, ...

el café	le café	a menudo	souvent
el sombrero	le chapeau	nunca	jamais
la tontería	la bêtise	no ... más que	ne ... que
esquiar	skier	sólo	ne ... que
nadar	nager		

A 2 APPLICATION

1. ¿Quién se pone un sombrero? ¿Ud?
2. — Sí, me pongo un sombrero. ¿Y Uds?
3. — Nos ponemos un sombrero también.
4. — ¿Quién sale a las ocho? ¿Ud?
5. — Sí, salgo a las ocho. ¿Y Uds?
6. — Salimos a las ocho también.
7. — ¿Quién trae el café?
8. — Traigo el café.
9. — ¿Vale Ud para nadar.
10. — No, no valgo para nadar.
11. — ¿Caes a menudo cuando esquías?
12. — No, no caigo nunca cuando esquío.
13. — ¿No haces más que tonterías?
14. — No, no hago nunca tonterías.
15. — Sí, sólo hago tonterías.

A 3 REMARQUES

■ Comme nous l'avons déjà vu avec le verbe **tener** (p. 30), quelques verbes irréguliers ont une **1re personne du singulier du présent de l'indicatif en -go,** différente des autres personnes de ce même temps qui restent régulières. Exemple : **traer:** apporter, **traigo, traes, trae, traemos, traéis, traen.**

■ Il ne faut pas oublier que le verbe **salir** se termine en **-ir** et qu'en conséquence ses terminaisons comportent un **i aux deux premières personnes du pluriel : salgo, sales, sale, salimos, salís, salen.**

■ La formule restrictive française « **ne... que** » se traduit en espagnol par « **no... más que** » ou bien par **sólo.**

Exemples : **No hace más que caer** ou **sólo cae** = il ne fait que tomber.

A 4 TRADUCTION

1. Qui se met un chapeau? Vous?
2. — Oui, je me mets un chapeau. Et vous (V. P.)?
3. — Nous nous mettons un chapeau aussi.
4. — Qui sort (part) à huit heures? Vous?
5. — Oui, je sors (pars) à huit heures. Et vous (V. P.)?
6. — Nous sortons (partons) à huit heures aussi.
7. — Qui apporte le café?
8. — J'apporte le café.
9. — Etes-vous bon à la nage?
10. — Non, je suis pas bon à la nage.
11. — Tombes-tu souvent quand tu skies?
12. — Non, je ne tombe jamais quand je skie.
13. — Tu ne fais que des sottises (bêtises)?
14. — Non, je ne fais jamais de sottises.
15. — Oui, je ne fais que des bêtises.

23 ■ No creo que Ud los haga

B 1 PRÉSENTATION

Présents du subjonctif irréguliers (I)

présent du subjonctif

poner	*mettre*	**pongo** →	**ponga, pongas, ponga, ...**
valer	*valoir*	**valgo** →	**valga, valgas, valga, ...**
salir	*sortir*	**salgo** →	**salga, salgas, salga, ...**
hacer	*faire*	**hago** →	**haga, hagas, haga, ...**
traer	*apporter*	**traigo** →	**traiga, traigas, traiga, ...**
caer	*tomber*	**caigo** →	**caiga, caigas, caiga, ...**

Creo que + indicatif   *je crois que* + *indicatif*
No creo que + subjonctif   *je ne crois pas que* + *subj.*

el ejercicio	*l'exercice*	creer	*croire*
la pena	*la peine*	pensar(ie)	*penser*
el periódico	*le journal*	ponerse a	*se mettre à*
la velocidad	*la vitesse*	a pesar de	*malgré*
al corriente	*au courant*	siempre	*toujours*
seguro	*sûr, certain*		

B 2 APPLICATION

1. ¿Cree Ud que traen los periódicos?
2. — No, no creo que los traigan.
3. ¿Creen Uds que hago siempre mis ejercicios?
4. — No, no creemos que Ud los haga siempre.
5. ¿Piensa Ud que Roberto se pone al corriente?
6. — No, no pienso que se ponga al corriente.
7. ¿Cree Ud que esto vale la pena?
8. — No, no creo que esto valga la pena.
9. ¿Piensan Uds que sus amigos salen esta tarde?
10. — No, no pensamos que salgan.
11. ¿Creen Uds que no caigo nunca a pesar de la velocidad?
12. — No, no creemos que Ud no caiga nunca.
13. ¿Está Ud seguro de que Federico tiene el periódico?
14. — No, no estoy seguro de que lo tenga.

23 ■ Je ne crois pas que vous les fassiez

B 3 REMARQUES

■ **Rappel:** les terminaisons du subjonctif **sont les mêmes pour les verbes réguliers et irréguliers,** c'est-à-dire en **e** pour les verbes en **-ar** et en **a** pour les verbes en **-er** et **-ir.**

■ L'irrégularité des verbes irréguliers qui se terminent en **-go** à la 1re personne du présent de l'indicatif se retrouve à toutes les personnes du subjonctif : **valgo → valga, valgas, valga, valgamos, valgáis, valgan.**

■ **Après le verbe creer à la forme négative** on emploie le **subjonctif,** mode qui rapporte des faits éventuels, car il y a un doute. Mais **après creer employé affirmativement,** le doute disparaissant, on emploie **l'indicatif,** mode qui rapporte des faits réels. Il en est de même pour d'autres verbes ou expressions comme **pensar,** penser, **estar seguro de que,** être sûr que, etc.

B 4 TRADUCTION

1. Croyez-vous qu'ils apportent les journaux?
2. — Non, je ne crois pas qu'ils les apportent.
3. Croyez-vous (V. P.) que je fais toujours mes exercices?
4. — Non, nous ne croyons pas que vous les fassiez toujours.
5. Pensez-vous que Robert se met au courant?
6. — Non, je ne pense pas qu'il se mette au courant.
7. Croyez-vous que ceci vaut la peine?
8. — Non, je ne crois pas que ceci vaille la peine.
9. Pensez-vous (V. P.) que vos amis sortent cet après-midi?
10. — Non, nous ne pensons pas qu'ils sortent.
11. Croyez-vous (V. P.) que je ne tombe jamais malgré la vitesse?
12. — Non, nous ne croyons pas que vous ne tombiez jamais.
13. Etes-vous certain que Frédéric a le journal?
14. — Non, je ne suis pas certain qu'il l'ait.

1. Répondre négativement aux questions

¿Quién trae el periódico? ?Ud?
¿Quién sale esta tarde? ?Ud?
¿Vale Ud para andar?
¿Hace Ud siempre sus ejercicios?
¿Cae Ud a menudo cuando esquía?
¿Qué se pone Ud? ¿Un sombrero?
¿Cree Ud que no hago más que tonterías?
¿Piensa Ud que esto vale la pena?

2. Traduire

Je vous apporte le café et les journaux.
Je ne tombe jamais malgré la vitesse.
Je ne fais pas toujours que des bêtises.
Je ne suis pas bon à la nage.
Je crois que vous vous mettez au courant.
Il ne croit pas que vous vous mettiez au courant.
Pensez-vous qu'il part cet après-midi?
Non, je ne pense pas qu'il parte cet après-midi.

C 2 INFORMATIONS PRATIQUES

Tomar un autobús

¿Dónde puedo tomar un autobús?
¿Dónde está la parada de autobuses?
¿Qué autobús debo tomar para ir al centro?
¿A qué hora es el autobús para el estadio?
¿Cada cuánto tiempo pasan los autobuses para la playa?
¿Tengo que hacer transbordo?
¿Cuánto es para la plaza de toros?
Quisiera un taco de billetes.
¿Me puede decir cuando tengo que apearme?
Pare Ud en la próxima parada, por favor.

1. Répondre négativement aux questions

— No, no traigo el periódico.
— No, no salgo esta tarde.
— No, no valgo para andar.
— No, no hago nunca mis ejercicios.
— No, no caigo nunca cuando esquío.
— No, no me pongo un sombrero.
— No, no creo que Ud no haga más que tonterías.
— No, no pienso que esto valga la pena.

2. Traduire

Le traigo el café y los periódicos.
No caigo nunca a pesar de la velocidad.
No hago siempre más que tonterías.
No valgo para nadar.
Creo que Ud se pone al corriente.
No cree que Ud se ponga al corriente.
¿Piensa Ud que él sale esta tarde?
No, no creo que salga esta tarde.

C 4 TRADUCTION

Prendre un autobus

Où puis-je prendre un autobus?
Où est l'arrêt des autobus?
Quel autobus dois-je prendre pour aller au centre?
A quelle heure est l'autobus pour le stade?
Tous les combien passent les autobus pour la plage?
Dois-je changer?
Combien est-ce pour les arènes?
Je voudrais un carnet de tickets.
Pouvez-vous me dire quand je dois descendre?
Arrêtez au prochain arrêt, s'il vous plaît.

A 1 PRÉSENTATION

Présents de l'indicatif irréguliers (II)

venir *venir*
vengo, vienes, viene, venimos, venís, vienen.

decir *dire*
digo, dices, dice, decimos, decís, dicen.

oír *entendre*
oigo, oyes, oye, oímos, oís, oyen.

ver *voir*
veo, ves, ve, vemos, veis, ven.

el abuelo	*le grand-père*	sordo	*sourd*
el campo	*la campagne*	hasta	*jusque*
la gente	*les gens*	poco	*peu*
el mar	*la mer*	todavía	*encore*
el ruido	*le bruit*	ya	*déjà*
el tiempo	*le temps*	acabar (de)	*achever, (venir de)*

A 2 APPLICATION

1. Vengo de mi pueblo.
2. Acabo de ver a mis abuelos que viven en el campo.
3. ¿Qué dice Ud?
4. — Digo que estoy muy bien.
5. Se ve muy bien desde su casa.
6. — Cuando el tiempo está bueno veo hasta el mar.
7. Veo a poca gente.
8. — ¿Cómo dice Ud?
9. Soy un poco sordo y no oigo muy bien.
10. Digo que la gente no viene a verme.
11. ¿Oyes el ruido del mar?
12. — No, no oigo nada.
13. ¿Están ya sus hermanos en casa?
14. — No, no los veo. Todavía no han venido.

A 3 REMARQUES

■ On ne peut savoir si un verbe est **régulier ou irrégulier** à la vue du seul infinitif. Il faut donc étudier ces verbes.

■ En général, **sauf à la 1re personne du singulier**, les terminaisons sont les mêmes que celles des verbes réguliers.

■ **venir** se conjugue avec la diphtongaison **ie** des verbes du type **empezar** (p. 84)

■ **Decir** se conjugue avec une alternance de voyelles **e/i** dans le radical comme dans le verbe **pedir** (p. 138).

■ **oír**: le i du radical **devient y** quand i se trouve inaccentué entre deux voyelles : **o-i-es = oyes**, etc.

■ Lorsque **« peu de »** signifie **« quelques »**, il se traduit en espagnol par l'adjectif **poco/a** qui s'accorde avec le nom auquel il se rapporte : **veo a poca gente**.

A 4 TRADUCTION

1. Je viens de mon village.
2. Je viens de voir mes grands-parents qui vivent à la campagne.
3. Que dites-vous?
4. — Je dis que je vais bien.
5. On a une belle vue depuis votre maison (on voit...).
6. — Quand le temps est beau je vois jusqu'à la mer.
7. Je vois peu de monde (peu de gens).
8. — Comment dites-vous?
9. Je suis un peu sourd et je n'entends pas très bien.
10. Je dis que les gens ne viennent pas me voir.
11. Entends-tu le bruit de la mer?
12. — Non, je n'entends rien.
13. Vos frères sont-ils chez vous (à la maison)?
14. — Non, je ne les vois pas. Ils ne sont pas encore venus.

B 1 PRÉSENTATION

Présents du subjonctif irréguliers (II)

			présent du subjonctif
venir	*venir*	**vengo** →	**venga, vengas, venga, ...**
decir	*dire*	**digo** →	**diga, digas, diga, ...**
oír	*entendre*	**oigo** →	**oiga, oigas, oiga, ...**
ver	*voir*	**veo** →	**vea, veas, vea, veamos...**

Le pido que ⎫		
Le ruego que ⎬ + **subjonctif**		*je vous demande de ...*
Le digo que ⎭		*je vous prie de ...*
		je vous dis de ...
		(incitation à agir)

Le digo que + **indicatif** *je vous dis que*
(affirmation)

el alumno	*l'élève*	el labio	*la lèvre*
el cartel	*l'affiche*	la música	*la musique*
el consejo	*le conseil*	la sonrisa	*le sourire*
el estadio	*le stade*	la verdad	*la vérité*
el horario	*l'horaire*	callar (se)	*se taire*

B 2 APPLICATION

1. No oigo nunca los consejos.
2. — Le pido (a Ud) que los oiga.
3. Los chicos no vienen al estadio con nosotros.
4. — Les digo (a ellos) que vengan.
5. Este señor no ve nunca el cartel del horario.
6. — Le pido (a él) que lo vea la próxima vez.
7. Este chico dice siempre la verdad.
8. Digo que este chico dice siempre la verdad.
9. — Le digo (a él) que me la diga a mí también.
10. Estos alumnos hablan y no oyen la música.
11. — Les ruego (a ellos) que callen y oigan la música.
12. Venimos siempre con la sonrisa en los labios.
13. Dice que venimos siempre con la sonrisa en los labios.
14. Nos dice que vengamos siempre con la sonrisa en los labios .

B 3 REMARQUES

■ **Le pido (a Ud) que venga** = je vous demande de venir. Lorsque le sujet du verbe principal, ici **pedir**, agit ou essaie d'agir sur l'état ou la situation du sujet du verbe dépendant, ici **venir**, celui-ci se met au subjonctif en espagnol. **Après un verbe d'ordre ou de prière,** comme **pedir** demander, **rogar** prier ou **decir** dire, etc., il convient donc de traduire l'infinitif français par **le subjonctif espagnol.**

■ Attention à l'accord du verbe dépendant :
le digo (a Ud) que venga → le sujet est **Ud.**
les digo (a Uds) que vengan → le sujet est **Uds.**

■ **Digo que viene** je dis qu'il vient : ici le verbe **decir** n'incite pas à agir mais **se limite à constater un fait.** Le verbe **venir** reste donc **à l'indicatif.**

B 4 TRADUCTION

1. Je n'entends jamais les conseils.
2. — Je vous demande de les entendre.
3. Les garçons ne viennent pas au stade avec nous.
4. — Je leur dis de venir.
5. Ce monsieur ne voit jamais l'affiche de l'horaire.
6. — Je lui demande de la voir la prochaine fois.
7. Ce garçon dit toujours la vérité.
8. Je dis que ce garçon dit toujours la vérité.
9. Je lui dis de me la dire à moi aussi.
10. Ces élèves parlent et n'entendent pas la musique.
11. — Je les prie de se taire et d'écouter la musique.
12. Nous venons toujours avec le sourire aux lèvres.
13. Il dit que nous venons toujours avec le sourire aux lèvres.
14. Il nous dit de toujours venir avec le sourire aux lèvres.

1. Répondre affirmativement aux questions

Venimos del campo. ¿Y Ud?
Decimos siempre la verdad. ¿Y Ud?
Vemos a poca gente. ¿Y Ud?
No oímos el ruido de los coches. ¿Y Ud?
Vengo a clase con la sonrisa en los labios. ¿Y Uds?
Digo que no soy sordo. ¿Y Uds?
No oigo la música. ¿Y Uds?
¿Ven Uds a menudo a mis abuelos?

2. Traduire

Je viens de la campagne, de mon village.
Je viens de voir mes grands-parents.
J'entends le bruit de la mer.
Je dis que le temps est beau.
Il vous demande de ne pas voir ces gens-là.
Il vous (V. P.) prie de ne pas venir maintenant.
Il vous (V. P.) dit de vous taire.
Il dit qu'il ne vient jamais à la maison.

C 2 INFORMATIONS PRATIQUES

En el aeropuerto

¿Hay algún vuelo para Canarias?
¿Cuándo sale el próximo avión para Las Palmas?
¿Hay un vuelo de conexión con Tenerife?
Quisiera un billete para Santa Cruz, por favor.
¿Cuál es el número del vuelo?
¿Tengo que hacer transbordo?
¿A qué hora debo hacer la facturación?
¿A qué hora despega el avión?
¿Cuánto tiempo dura el viaje?
¿A qué hora llegamos?

1. Répondre affirmativement aux questions

— Vengo del campo.
— Digo siempre la verdad.
— Veo a poca gente.
— No oigo el ruido de los coches.
— Venimos a clase con la sonrisa en los labios.
— Decimos que no somos sordos.
— No oímos la música.
— Vemos a menudo a sus abuelos.

2. Traduire

Vengo del campo, de mi pueblo.
Acabo de ver a mis abuelos.
Oigo el ruido del mar.
Digo que el tiempo está bueno.
Le pide (a Ud) que no vea a esa gente.
Les ruega (a Uds) que no vengan ahora.
Les dice (a Uds) que callen.
Dice que no viene nunca a casa.

C 4 TRADUCTION

A l'aéroport

Y a-t-il un vol pour les Canaries?
Quand part le premier avion pour Las Palmas?
Y a-t-il un vol de liaison avec Ténérife?
Je voudrais un billet pour Santa Cruz, s'il vous plaît.
Quel est le numéro du vol?
Dois-je changer d'avion?
A quelle heure dois-je faire l'enregistrement?
A quelle heure l'avion décolle-t-il?
Combien de temps dure le voyage?
A quelle heure arrivons-nous?

25 ■ Me voy

A 1 PRÉSENTATION

Présents de l'indicatif irréguliers (III)

ir *aller*
voy, vas, va, vamos, vais, van.
dar *donner*
doy, das, da, damos, dais, dan.
saber *savoir*
sé, sabes, sabe, sabemos, sabéis, saben.
caber *tenir, contenir.*
quepo, cabes, cabe, cabemos, cabéis, caben.

el agua	*l'eau*	la universidad	*l'université*
el hijo	*le fils*	dar las gracias	*remercier*
el maletero	*le coffre*	darse prisa	*se presser*
el paquete	*le paquet*	irse	*s'en aller*
el retraso	*le retard*	llevar retraso	*avoir du retard*
el traje	*le costume*	ya no + verbe	*ne ... plus*
el « vaquero »	*le jean*	con mucho gusto	*avec grand*
el vaso	*le verre*		*plaisir*

A 2 APPLICATION

1. ¿Adónde va Ud ahora? — Voy a la universidad.

2. ¿Sale Ud ahora? — Sí, me voy ahora.

3. ¿Qué van Uds a ver en Toledo?

4. — Vamos a ver la Catedral.

5. ¿Sabe Ud adónde van sus hijos?

6. — No, no lo sé.

7. ¿Saben Uds si esta moto es de Andrés?

8. — No, no sabemos si es de él.

9. ¿Me da Ud un vaso de agua por favor?

10. — Se lo doy con mucho gusto.

11. — Le doy las gracias.

12. Llevamos retraso y tenemos que darnos prisa.

13. Los paquetes no caben en el maletero de mi coche.

14. Ya no quepo en este «vaquero» (pantalón vaquero).

25 ■ Je m'en vais

A 3 REMARQUES

■ **Les présents de l'indicatif** des verbes **ir,** aller, **dar,** donner, **saber,** savoir, et **caber,** tenir contenir, présentent des formes très particulières. Il convient donc de les étudier soigneusement.

■ Le sens général du verbe **ir** est aller. **Irse,** forme pronominale, signifie s'en aller, partir.

■ **Rappel :** à l'infinitif le (ou les) pronom(s) se place(nt) après le verbe et se soude(nt) à lui sans trait d'union : **ir** + **se** = **irse** s'en aller, partir.

■ **¿Dónde?** = où? Mais avec un verbe de mouvement il est préférable de faire précéder **dónde** de la préposition **a:** **¿adónde vas?** = Où vas-tu?

■ **Ne... plus :** cette formule est rendue par **ya no** précédant le verbe ou parfois par **no... ya** encadrant le verbe. Elle peut être renforcée par l'addition de **más: ya no voy, no voy ya, ya no voy más** = je n'y vais plus.

A 4 TRADUCTION

1. Où allez-vous maintenant? — Je vais à l'université.

2. Partez-vous maintenant? — Oui, je m'en vais maintenant.

3. Qu'allez-vous (V.P.) voir à Tolède?

4. — Nous allons voir la cathédrale.

5. Savez-vous où vont vos enfants?

6. — Non, je ne le sais pas.

7. Savez-vous si cette moto est à André?

8. — Non, nous ne savons pas si elle est à lui.

9. Vous me donnez un verre d'eau s'il vous plaît?

10. — Je vous le donne avec grand plaisir.

11. — Je vous remercie.

12. Nous avons du retard et nous devons nous hâter.

13. Les paquets ne tiennent pas dans le coffre de ma voiture.

14. Ce « jean » ne me va plus (je ne tiens plus dans...).

B 1 PRÉSENTATION

Présents du subjonctif irréguliers (III)

			présent du subjonctif
ir	*aller*	**voy**	**vaya, vayas, vaya, ...**
dar	*donner*	**doy**	**dé, des, dé, demos, ...**
saber	*savoir*	**sé**	**sepa, sepas, sepa, ...**
caber	*tenir*	**quepo** →	**quepa, quepas, quepa, ...**

Es posible que + subjonctif *il est possible que ...*

la estatua	*la statue*	la plata	*l'argent (métal)*
la habitación	*la chambre*	la silla	*la chaise*
el hospital	*l'hôpital*	el viaje	*le voyage*
el mueble	*le meuble*	en seguida	*tout de suite*
la mesa	*la table*	bastar (con)	*suffire (de)*
la oficina	*le bureau*	dar un paseo	*faire une promenade*
el partido	*le match*		

B 2 APPLICATION

1. Tengo que ir a la oficina en seguida.

2. Importa que yo vaya a la oficina en seguida.

3. Me voy de vacaciones por tres semanas.

4. Es bueno que me vaya de vacaciones por tres semanas.

5. No sé el resultado del partido.

6. Es posible que Ricardo lo sepa.

7. Los muebles no caben todos en esta habitación.

8. Basta con que quepan esta mesa y las sillas.

9. ¿Dónde está tu hermana?

10. — No sé, es fácil que dé un paseo.

11. No sé de qué es esta estatua.

12. — Es posible que yo lo sepa : es de plata.

13. — ¿De quién es?

14. — Es de mi tío.

15. Vamos al hospital mañana.

16. Conviene que vayamos al hospital mañana.

B 3 REMARQUES

■ Nous avons déjà vu qu'en espagnol il faut employer **le subjonctif** après les expressions contenant une idée d'obligation comme **hace falta que**, il faut que, etc. (p. 111). Les tournures impersonnelles suivantes qui indiquent aussi une idée d'obligation, d'utilité ou de devoir à accomplir entrent dans cette catégorie : **es fácil que**, il se peut que, **basta con que**, il suffit que, **conviene que**, **es útil que**, **es bueno que**, **es bien que**, **importa que**, **es importante que**.

■ **me voy por una semana** = je pars pour une semaine : la durée envisagée comme une prévision s'exprime en espagnol par la préposition **por**.

■ Pour indiquer **la possession ou la matière**, on utilise toujours en espagnol le verbe **ser** et la préposition **de** : **Es de Juan** = c'est à Jean ; **es de oro** = elle est en or.

B 4 TRADUCTION

1. Je dois aller au bureau tout de suite.
2. Il est important que j'aille au bureau tout de suite.
3. Je pars en vacances pour trois semaines.
4. Il est bon que je parte en vacances pour trois semaines.
5. Je ne sais pas le résultat du match.
6. Il est possible que Richard le sache.
7. Les meubles ne tiennent pas tous dans cette pièce.
8. Il suffit que cette table et les chaises tiennent.
9. Où est ta sœur?
10. Je ne sais pas, il se peut qu'elle fasse une promenade.
11. Je ne sais pas en quoi est cette statue.
12. — Il est possible que je le sache : elle est en argent.
13. — A qui est-elle?
14. — Elle appartient (est) à mon oncle.
15. Nous allons à l'hôpital demain.
16. Il convient que nous allions à l'hôpital demain.

1. Répondre affirmativement aux questions

¿Se va Ud a la universidad en seguida?
¿Sabe Ud dónde está la moto de Andrés?
¿Me da Ud un vaso de agua mineral?
Ya no cabéis en esta sala. ¿Es posible?
Nos vamos a la oficina. ¿Es útil?
Sabemos el resultado. ¿Es importante?
Ud nos da esta estatua. ¿Es posible?
Vamos a dar un paseo. ¿Es bueno?

2. Traduire

Je ne sais pas où ils vont maintenant.
Nous allons à Tolède pour voir la cathédrale.
La table et les chaises ne tiennent pas dans cette pièce.
Je vais faire une promenade.
Il est important que nous partions tout de suite.
Il suffit que nous sachions le résultat du match.
Il convient que nous le remerciions.
Il est possible que ces paquets tiennent dans le coffre de la voiture.

C 2 INFORMATIONS PRATIQUES

El turismo

¿Puede Ud recomendarme una buena guía de la ciudad?
¿Dónde está la oficina de turismo?
¿Qué es este edificio?
¿Está este museo abierto?
¿Cuándo abren? ¿Cuándo cierran?
¿Se pueden tomar (o sacar) fotografías?
¿Puedo comprar el catálogo?
¿Quién pintó este cuadro?
Quisiéramos visitar este castillo.
Nos gustaría alquilar un coche.

1. Répondre affirmativement aux questions

— Sí, me voy a la universidad en seguida.
— Sí, sé donde está la moto de Andrés (o — Sí, lo sé).
— Sí, le doy un vaso de agua mineral.
— Sí, es posible que ya no quepamos en esta sala.
— Sí, es útil que nos vayamos a la oficina.
— Sí, es importante que sepamos el resultado.
— Sí, es posible que les dé esta estatua.
— Sí, es bueno que Uds vayan a dar un paseo.

2. Traduire

No sé adonde van ahora.
Vamos a Toledo para ver la Catedral.
La mesa y las sillas no caben en esta habitación.
Voy a dar un paseo.
Importa que nos vayamos en seguida.
Basta con que sepamos el resultado del partido.
Conviene que le demos las gracias.
Es posible que estos paquetes quepan en el maletero del coche.

C 4 TRADUCTION

Le tourisme

Pouvez-vous me recommander un bon guide de la ville?
Où est le bureau du tourisme?
Quel est cet édifice?
Ce musée est-il ouvert?
Quand ouvrent-ils? Quand ferment-ils?
Peut-on prendre des photos?
Puis-je acheter le catalogue?
Qui a peint ce tableau?
Nous voudrions visiter ce château.
Nous aimerions louer une voiture.

A 1 PRÉSENTATION

Imparfaits de l'indicatif réguliers

andar	marcher	hacer	faire
andaba	je marchais	**hacía**	je faisais
andabas	tu marchais	**hacías**	tu faisais
andaba	il marchait	**hacía**	il faisait
andábamos	nous marchions	**hacíamos**	nous faisions
andabais	vous marchiez	**hacíais**	vous faisiez
andaban	ils marchaient	**hacían**	ils faisaient

la energía	l'énergie	intentar	essayer de
acabar de	venir de	prometer	promettre
atreverse a	oser	lo ... todo	tout
ayudar	aider	antes	auparavant
ignorar	ignorer	de memoria	par cœur

A 2 APPLICATION

1. Andabas con mucha energía. — Antes sí, pero ahora no.
2. ¿Intentaba Ud llamarnos? — Sí, intentaba llamarlos.
3. ¿Él lo ignoraba todo? — Sí, lo ignoraba todo.
4. ¿Quién nos ayudaba? — María nos ayudaba.
5. Acabábamos de llegar. Acababais de levantaros.
6. Ud hacía lo que quería. Antes, esto no existía.
7. ¿No te atrevías a entrar? — No, no me atrevía.
8. Ella lo sabía todo. No prometía nada.
9. Lo aprendíais todo de memoria.
10. Nunca añadía ella nada, porque no se atrevía.
11. No te atrevías a prometérmelo, ¿verdad?
12. No, no me atrevía, pero intentaba.
13. ¿No sabías que yo venía hoy? — No, no lo sabía.

A 3 REMARQUES

■ Rappel **Ignorar** : attention à la prononciation : d'abord « ig », puis « norar » : ig-norar.

■ L'imparfait de l'indicatif est presque toujours régulier. Il s'obtient de la façon suivante :
— si l'infinitif est terminé en **-ar,** on ajoute au radical :
aba - abas - aba - ábamos - abais - aban
— si l'infinitif est terminé en **-er** ou **ir,** on ajoute au radical :
ía - ías - ía - íamos - íais - ían

■ **Lo...todo :** quand « **todo** » est complément d'objet direct d'un verbe, il est annoncé, avant le verbe, par « **lo ».**

■ **Acabar de :** « venir de » qui exprime le passé immédiat : **acabo de llegar :** je viens d'arriver.

A 4 TRADUCTION

1. Tu marchais très énergiquement. — Avant oui, mais pas maintenant.
2. Essayiez-vous de nous appeler? — Oui, j'essayais de vous appeler.
3. Il ignorait tout? — Oui, il ignorait tout.
4. Qui nous aidait? — Marie nous aidait.
5. Nous venions d'arriver. Vous veniez (T. P.) de vous lever.
6. Vous faisiez ce que vous vouliez. Avant, ça n'existait pas.
7. Tu n'osais pas entrer? — Non, je n'osais pas.
8. Elle savait tout. Elle ne promettait rien.
9. Vous appreniez (T. P.) tout par cœur.
10. Elle n'ajoutait jamais rien, parce qu'elle n'osait pas.
11. Tu n'osais pas me le promettre, n'est-ce-pas?
12. Non, je n'osais pas, mais j'essayais.
13. Tu ne savais pas que je venais aujourd'hui? — Non, je ne le savais pas.

B 1 PRÉSENTATION

Imparfaits de l'indicatif irréguliers

IR	SER	VER
iba	era	veía
ibas	eras	veías
iba	era	veía
íbamos	éramos	veíamos
ibais	erais	veíais
iban	eran	veían
j'allais	j'étais	je voyais
...	...	...

hermano, a	frère, sœur	imaginar	imaginer
las vacaciones	les vacances	ir de	aller en
idiota	idiot, e	ir por	aller chercher
infeliz	malheureux	pasar	passer
burlarse	se moquer	excepto	sauf, excepté
dar la gana	faire envie		

B 2 APPLICATION

1. Era él, claro, pero no podía imaginármelo.
2. Éramos seis y el piso era muy pequeño.
3. Era verdad que esto no era indispensable.
4. Era burlarse de él, porque no veía lo que hacía.
5. Yo no veía nada de lo que hacía ella.
6. No veíamos lo que él creía ver.
7. Todos lo veían, excepto tú. ¿Qué te pasaba?
8. Tú no veías lo que quería él.
9. Yo iba a donde querías. Era idiota.
10. Íbamos juntos porque éramos amigos.
11. Ibas de vacaciones cuando te daba la gana.
12. ¡Ud iba por su hermana! Yo creía que iba por mí!
13. ¡Qué se imaginaba Ud ¿Yo? ¿Ir por Ud?
14. Eras infeliz porque veías que me iba.

26 ■ Tu étais malheureux parce que tu voyais que je partais

B 3 REMARQUES

■ Attention aux accents écrits sur les premières personnes du pluriel de **ser** et de **ir**, ainsi qu'à toutes les personnes de **ver**.

■ **Seuls les imparfaits de l'indicatif** des verbes **ser, ver,** et **ir,** sont **irréguliers.**
Il convient donc de les savoir par cœur puisqu'ils échappent aux règles qui régissent l'imparfait de l'indicatif de tous les autres verbes.

■ **ir** : attention aux différentes prépositions qui peuvent suivre ce verbe :
ir a = aller à, vers
ir de = aller en (promenade, vacances, etc.)
ir por = aller chercher (la préposition **por** après un verbe de mouvement est toujours à traduire ainsi :
subir por   monter chercher
correr por   courir chercher

B 4 TRADUCTION

1. C'était lui, bien sûr, mais je ne pouvais pas me l'imaginer.
2. Nous étions six et l'appartement était très petit.
3. C'était vrai que cela n'était pas indispensable.
4. C'était se moquer de lui, parce qu'il ne voyait pas ce qu'il faisait.
5. Je ne voyais rien de ce qu'elle faisait.
6. Nous ne voyions pas ce que lui croyait voir.
7. Tous le voyaient, sauf toi. Que t'arrivait-il?
8. Toi, tu ne voyais pas ce qu'il voulait.
9. Moi, j'allais où tu voulais. C'était idiot.
10. Nous allions ensemble parce que nous étions amis.
11. Tu allais en vacances quand ça te faisait envie.
12. Vous cherchiez votre sœur! Je croyais que vous me cherchiez!
13. Qu'est-ce que vous vous imaginiez! Moi? Vous chercher?
14. Tu étais malheureux parce que tu voyais que je partais.

1. **Traduisez**

a) J'apprenais tout
b) Tu savais par cœur
c) Elle n'ignorait rien
d) Elles allaient en vacances
e) Ils étaient les derniers
f) Tu ne voyais rien
g) Tu venais d'essayer
h) Il venait te chercher
i) Sa fille était blonde
j) Nous étions tous là

2. **Traduisez**

a) Elle était en train d'ouvrir les fenêtres.
b) J'étais sûre que c'était lui.
c) Elles ne savaient rien et promettaient tout.
d) Je savais très bien que ce n'était pas comme ça.
e) C'était vrai que vous marchiez (V. P.) un peu tous les jours.
f) Je ne savais jamais quand vous étiez fatiguée.
g) Pourquoi n'osiez-vous (T. P.) pas l'appeler?
h) Elle venait de mourir et le lui écrire était impossible.

C 2 INFORMATIONS PRATIQUES

Situarse en el tiempo : el pasado

hoy	esta mañana esta tarde esta noche
ayer	ayer por la mañana ayer por la tarde anoche
anteayer	anteayer por la mañana anteayer por la tarde anteanoche
hace	hace quince días hace dos meses hace tres años

1. Traduisez

a) Lo aprendía todo
b) Sabías de memoria
c) Ella no ignoraba nada
d) Ellas iban de vacaciones
e) Eran los últimos
f) No veías nada
g) Acababas de intentar
h) Venía él por ti
i) Su hija era rubia
j) Todos estábamos aquí

2. Traduisez

a) Ella estaba abriendo las ventanas.
b) Estaba yo segura de que era él.
c) Ellas no sabían nada y lo prometían todo.
d) Sabía yo muy bien que no era así.
e) Era verdad que Uds andaban un poco cada día.
f) Yo no sabía nunca cuando Ud estaba cansada.
g) ¿Por qué no os atrevíais a llamarle?
h) Ella acababa de morir y escribírselo era imposible.

C 4 TRADUCTION

Se situer dans le temps : le passé

aujourd'hui	ce matin cet après-midi ce soir
hier	hier matin hier après-midi hier soir
avant-hier	avant-hier matin avant-hier après-midi avant-hier soir
il y a	il y a 15 jours il y a 2 mois il y a 3 ans

27 ■ Me callé

A 1 PRÉSENTATION

Passé simple des verbes en **-ar**

quit ar	**quitar**	ôter
quit é	**quité**	j'ai ôté
quit a ste	**quitaste**	tu as ôté
quit ó	**quitó**	il a ôté
quit a mos	**quitamos**	nous avons ôté
quit a steis	**quitasteis**	vous avez ôté
quit a ron	**quitaron**	ils ont ôté

el chaleco	le gilet	contestar	répondre
el grupo	le groupe	enterarse	s'informer de
el pastel	le gâteau	explicar	expliquer
la salida	le départ	formar parte	faire partie
comprobar	vérifier	preguntar	demander, interroger
callarse	se taire	probar	goûter, essayer

A 2 APPLICATION

1. ¿Te quitaste el chaleco? — Sí, me lo quité.
2. ¿Formó Ud parte del grupo? — Nunca formé parte de él.
3. ¿No se lo explicaron ellos? — No nos lo explicaron.
4. ¿Qué preguntó Ud? — Pregunté si estaba ella.
5. Y, ¿qué contestaron? — Contestaron que no estaba.
6. ¿Probasteis este pastel? — Sí, lo probamos.
7. Y, ¿os gustó? — No, no nos gustó mucho.
8. ¿Comprobaste que era él? — Sí, lo comprobé.
9. ¿Se enteró Ud de su salida? — No, no me enteré.
10. ¡No sé por qué Ud no se enteró!
11. No me enteré porque no estaba.
12. Se calló Ud, ¿verdad? — Sí, me callé y ahora lo siento.
13. Bueno, Ud se calló una vez más. ¡No está bien!

27 ■ Je me suis tu

A 3 REMARQUES

■ Rappel. **Chaleco :** le « ch » se prononce « tch ».

■ Le passé simple des verbes réguliers dont l'infinitif est terminé en **-ar** se forme de la façon suivante :

  radical + é - aste - ó - amos - asteis - aron

■ Le passé simple est d'un **emploi très courant** dans l'espagnol moderne, alors que le français l'abandonne. L'espagnol l'utilise à chaque fois que l'action exprimée par le verbe se situe dans une unité de temps — le jour, la semaine, le mois. l'année, etc. — qui est révolue : hier, avant-hier, la semaine dernière, le mois dernier, etc., j'ai vu ton ami = **ayer, anteayer, la semana pasada, el mes pasado, etc. vi a tu amigo.**

■ **Quitar :** attention au faux ami : il signifie « ôter » et non pas quitter qui se traduit par « **despedirse de** ».

■ **Explicar :** modification orthographique : le « **c** » devient « **que** » devant « **e** » = **expliqué.**

■ **Vous,** sans autre précision, correspond au **V. S.**

A 4 TRADUCTION

1. Tu as enlevé ton gilet? — Oui, je l'ai enlevé.
2. Avez-vous fait partie du groupe? — Je n'en ai jamais fait partie.
3. Ils ne vous l'ont pas expliqué? — Ils ne nous l'ont pas expliqué.
4. Qu'avez-vous demandé? — J'ai demandé si elle était là.
5. Et qu'ont-ils répondu? — Ils ont répondu qu'elle n'était pas là.
6. Avez-vous (T. P.) goûté ce gâteau? — Oui, nous l'avons goûté.
7. Et, vous avez aimé? — Non, nous n'avons pas beaucoup aimé.
8. As-tu vérifié que c'était lui? — Oui, je l'ai vérifié.
9. Vous vous êtes informé de son départ? — Non, je ne me suis pas informé.
10. Je ne sais pas pourquoi vous ne vous êtes pas informé !
11. Je ne me suis pas informé parce que je n'étais pas là.
12. Vous vous êtes tu, n'est-ce-pas? — Oui, je me suis tu et je le regrette maintenant.
13. Bon, vous vous êtes tu une fois de plus. Ce n'est pas bien.

B 1 PRÉSENTATION

Passé simple des verbes en **-er** et **-ir**

volver	*rentrer*	**recibir**	*recevoir*
volví	*je suis rentré*	**recibí**	*j'ai reçu*
volviste	*tu es rentré*	**recibiste**	*tu as reçu*
volvió	*il est rentré*	**recibió**	*il a reçu*
volvimos	*nous sommes rentrés*	**recibimos**	*nous avons reçu*
volvisteis	*vous êtes rentrés*	**recibisteis**	*vous avez reçu*
volvieron	*ils sont rentrés*	**recibieron**	*ils ont reçu*

decidir	*décider de*	prohibir	*interdire*
despedir	*renvoyer, congédier*	amistosamente	*amicalement*
insistir	*insister*	de espaldas	*sur le dos*
llover	*pleuvoir*	por suerte	*heureusement*
permitir	*permettre de*	tampoco	*non plus*

B 2 APPLICATION

1. ¿Cuándo volvió Ud? — Volví anoche.
2. ¿Volviste a encontrarle? — No, no volví a encontrarle.
3. ¿Caíste de espaldas? No, no caí, pero él, sí, cayó.
4. Llovió durante todo el día. Y llovió muchísimo.
5. ¿Perdió Ud su tiempo? — No, no perdí mi tiempo.
6. ¿Cómo la recibió Ud? — La recibí amistosamente.
7. ¿Por qué insististeis tanto? — Pero, ¡no insistimos!
8. ¿Le permitieron Uds entrar? — No, no se lo permitimos.
9. ¿Decidió Ud despedirle? — Por suerte, no decidí nada.
10. No decidí nada y no le prohibí nada tampoco.
11. ¿No decidiste venir a vernos hace ocho días?
12. No, no lo decidí porque no lo podía decidir.

B 3 REMARQUES

■ Le passé simple des verbes réguliers dont l'infinitif se termine en **-er** ou **-ir**, se forme de la façon suivante :

    radical + í - iste - ió - imos - isteis - ieron

■ Attention donc aux passés simples : le seul élément, en dehors du radical, qui différencie les formes des verbes en -ar de celles de verbes en -er ou -ir, **c'est la voyelle ou le groupe de voyelles de la terminaison** :

    radical + é - a(ste) - ó - a(mos) - a(steis) - a(ron)
    radical + í - i (ste) - ió - i(mos) - i(steis) - ie(ron)

■ **Permitir** et **prohibir** sont suivis de l'infinitif si leur complément est un pronom : **Le prohibí salir** = je lui ai interdit de sortir. Ils sont suivis du subjonctif si le complément est un nom : **prohibo a mi hermano que salga** : J'interdis à mon frère de sortir.

■ **Decidir** n'est pas suivi de la préposition « de », comme en français : **decidí comer** = j'ai décidé de manger.

■ Aux 3ᵉ personnes du singulier et du pluriel, les verbes dont le radical se termine par une voyelle, prennent un « **y** » au lieu du « i » : **le-ió = leyó ; ca-ió = cayó.**

B 4 TRADUCTION

1. Quand êtes-vous revenu? — Je suis revenu hier soir.
2. L'as-tu retrouvé? — Non, je ne l'ai pas retrouvé.
3. Es-tu tombé sur le dos? — Non, je ne suis pas tombé, mais lui, si, il est tombé.
4. Il a plu toute la journée. Et il a beaucoup plu.
5. Avez-vous perdu votre temps? — Non, je n'ai pas perdu mon temps.
6. Comment l'avez-vous reçue? — Je l'ai reçue amicalement.
7. Pourquoi avez-vous tant insisté (T. P.)? — Mais, nous n'avons pas insisté!
8. Lui avez-vous permis (V. P.) d'entrer? — Non, nous ne le lui avons pas permis.
9. Avez-vous décidé de le renvoyer? — Heureusement, je n'ai rien décidé.
10. Je n'ai rien décidé et je ne lui ai rien interdit non plus.
11. Tu n'as pas décidé de venir nous voir il y a 8 jours?
12. Non, je ne l'ai pas décidé parce que je ne pouvais pas le décider.

1. Traduisez

a) Aujourd'hui, j'ai insisté
b) Aujourd'hui, je n'ai rien promis
c) Aujourd'hui, je le lui ai expliqué
d) Aujourd'hui, tu n'as rien répondu
e) Aujourd'hui, il s'est informé
f) Aujourd'hui, nous avons décidé

g) Hier, j'ai insisté
h) Hier, ...
i) Hier, ...
j) Hier, ...
k) Hier, ...
l) Hier, ...

2. Traduisez   vers = hacia

a) Hier, à quelle heure es-tu rentré? — Je ne me rappelle pas, je suis arrivé vers six heures, je crois.
b) Nous avons tout mangé avant-hier soir.
c) Je l'ai appelé hier matin : il était bien.
d) Nous le lui avons interdit, il y a quinze jours.
e) Je le lui ai demandé avant-hier après-midi, mais il n'a rien répondu.

C 2 INFORMATIONS PRATIQUES

En la aduana

— Por favor, Señor, ¿algo que declarar?
— No, Señor, nada. Vuelvo de vacaciones.
— ¿De quién es esta maleta? — Es mía.
— ¡Bueno! ¿Quiere Ud abrirla? — Sí, claro, con gusto.
— Haga el favor de abrir el maletero de su coche.

— Por persona de más de quince años de edad, no se permiten más que :

    doscientos pitillos (o cigarrillos)
  o cincuenta puros
  o doscientos cincuenta gramos de tabaco de fumar
    dos litros de vino
— Tenga en cuenta que no es un derecho, sino una tolerancia.
— ¡Cuidado!¡ Está terminantemente prohibido pasar anís!

1. Traduisez

a) Hoy, he insistido
b) Hoy, no he prometido nada
c) Hoy, se lo he explicado
d) Hoy, no has contestado nada
e) Hoy, se ha enterado
f) Hoy, hemos decidido

g) Ayer, insistí
h) Ayer, no prometí nada
i) Ayer, se lo expliqué
j) Ayer, no contestaste nada
k) Ayer, se enteró
l) Ayer, decidimos.

2. Traduisez

a) Ayer¿ a qué hora volviste? — No recuerdo, llegué hacia las seis, creo.
b) Lo comimos todo anteanoche.
c) Le llamé ayer por la mañana : estaba bien.
d) Se lo prohibimos hace quince días.
e) Se lo pregunté anteayer por la tarde, pero no contestó nada.

C 4 TRADUCTION

A la douane

— S'il vous plaît, Monsieur, quelque chose à déclarer?
— Non, Monsieur, rien. Je reviens de vacances.
— A qui est cette valise? — Elle est à moi.
— Bien. Voulez-vous l'ouvrir? — Oui, bien sûr, avec plaisir.
— Faites-moi le plaisir d'ouvrir le coffre de votre voiture.

— Par personne de plus de 15 ans, ne sont permis que :
        200 cigarettes
        ou 50 cigares
        ou 250 grammes de tabac à fumer
        2 litres de vin
— Considérez que ce n'est pas un droit, mais une tolérance.
— Attention! Il est formellement interdit de passer de l'anis!

28 ■ No querías que él se acercara

A 1 PRÉSENTATION

Verbes en **-ar** : imparfaits du subjonctif

llenar   *remplir*

llenara	**llen**ase	*que je remplisse*
llenaras	**llen**ases	*que tu remplisses*
llenara	**llen**ase	*qu'il remplît*
llenáramos	**llen**ásemos	*que nous remplissions*
llenarais	**llen**aseis	*que vous remplissiez*
(**llen**aron) **llen**aran	**llen**asen	*qu'ils remplissent*

el accidente	*l'accident*	concebible	*concevable*
el arte	*l'art*	deseable	*souhaitable*
el atasco	*l'embouteillage*	acercarse a	*s'approcher de*
la gente	*les gens*	evitar	*éviter*
el lugar	*le lieu*	interesarse	*s'intéresser*
los padres	*les parents*	marcharse	*partir*

A 2 APPLICATION

1. Yo no deseaba que él me llenara el vaso.
2. Era preferible que te presentases en seguida.
3. ¿Era concebible que la gente no se interesara por el arte?
4. No me parecía deseable que ellas se marchasen.
5. No queríamos que os acercarais al lugar del accidente.
6. ¿Por qué no queríais que nos acercáramos?
7. Creo que no era indispensable que lo compraseis.
8. Él deseó que ayudaras a tus padres.
9. Los ayudé. Y no era útil que me lo explicara.
10. ¿No era posible que evitases el atasco?
11. No estabas segura de que ellos se lo recordaran.
12. ¿Verdad que él no quería que tú lo aceptases?
13. Sí, es verdad. Él no quería que yo aceptase.

A 3 REMARQUES

■ **La gente** : les gens. Attention, en espagnol, le mot est au singulier la plupart du temps.

■ **Marcharse** : partir, s'en aller. Attention au faux ami.

■ **Acercarse a** : s'approcher de. Attention à la préposition espagnole requise par l'idée de mouvement du verbe.

■ **Los padres** : les parents, c'est-à-dire le père et la mère.

■ Il y a **deux formes du subjonctif espagnol** ; les deux formes s'emploient indifféremment (p. 264). La première est peut-être plus fréquemment employée. Ces deux subjonctifs imparfaits **proviennent de la troisième personne du pluriel du passé simple.**
Il convient de bien connaître les deux formes, car elles sont d'un emploi constant, même dans la langue la plus populaire (dans ce cas-là, le français contemporain préfère utiliser le présent du subjonctif).

■ Veillez bien à respecter la correspondance des temps (pp. 192 et 194).

A 4 TRADUCTION

1. Je ne souhaitais pas qu'il remplisse mon verre.
2. Il était préférable que tu te présentes tout de suite.
3. Était-il concevable que les gens ne s'intéressent pas à l'art?
4. Il ne me semblait pas souhaitable qu'elles partent.
5. Nous ne voulions pas que vous vous approchiez (T. P.) du lieu de l'accident.
6. Pourquoi ne vouliez-vous pas que nous nous approchions?
7. Je crois qu'il n'était pas indispensable que vous l'achetiez (T. P.)?
8. Il a souhaité que tu aides tes parents.
9. Je les ai aidés. Et il n'était pas utile qu'il me l'explique.
10. Il n'était pas possible que tu évites l'embouteillage?
11. Tu n'étais pas sûre qu'ils se le rappellent.
12. C'est vrai qu'il ne voulait pas que tu l'acceptes?
13. Oui, c'est vrai. Il ne voulait pas que j'accepte.

B 1 PRÉSENTATION

Verbes en **-er** et **-ir** : imparfaits du subjonctif

unir   *unir*

uniera	**uniese**	*que j'unisse*
unieras	**unieses**	*que tu unisses*
uniera	**uniese**	*qu'il unît*
uniéramos	**uniésemos**	*que nous unissions*
unierais	**unieseis**	*que vous unissiez*
(**unieron**) **unieran**	**uniesen**	*qu'ils unissent*

la paciencia	*la patience*	lamentar	*regretter*
servicios prestados	*services rendus*	reunirse	*rejoindre, retrouver*
inevitable	*inévitable*	someterse	*se soumettre*
aconsejar	*conseiller*	además	*en outre, en plus*
agradecer	*remercier*	contra	*contre*

B 2 APPLICATION

1. Era inevitable que los hermanos se unieran contra ella.
2. Lamentaba yo que perdieses tanto tiempo.
3. No concebías que perdiéramos la paciencia, ¿verdad?
4. Ud le escribió que se reuniese con nosotros cuanto antes.
5. Era deseable que Ud le agradeciese los servicios prestados
6. Os sorprendía que me obedecieran ellas tan fácilmente.
7. Les gustaba a Uds que nos atreviésemos a insistir.
8. Prohibías a tu mujer que se metiera en tus cosas.
9. No, sólo quería que se sometiera a lo que yo decidía.
10. Y además le aconsejaba que no añadiera nada.
11. Pero, ¡no era concebible que lo aceptara ella!
12. ¡No lo aceptaba! No se sometía!
13. ¡Ah bueno! Pero, ¿qué dice entonces ése?

B 3 REMARQUES

■ Comme pour les verbes en **-ar**, les verbes en **-er** et en **-ir** ont deux formes de subjonctif imparfait.
Ces deux formes proviennent de la 3e personne du pluriel du passé simple.

■ Il convient donc de ne pas oublier cette 3e personne du pluriel du passé simple qui commande les imparfaits du subjonctif :

llenar   aron   { ara - aras - ara - áramos - arais - aran
                    { ase - ases - ase - ásemos - aseis - asen

ver }   { iera - ieras - iera - iéramos - ierais - ieran
unir }   ieron   { iese - ieses - iese - iésemos - ieseis - iesen

■ **Agradecer** : attention à la construction de ce verbe qui n'admet pas de préposition :
te agradezco este servicio = je te remercie **de** ce service

■ **Escribir, aconsejar** : ils sont suivis du subjonctif en espagnol, mais de l'infinitif en français.

B 4 TRADUCTION

1. Il était inévitable que les frères s'unissent contre elle.
2. J'étais désolé que tu perdes tant de temps.
3. Tu ne concevais pas que nous perdions patience, hein?
4. Vous lui avez écrit de nous rejoindre au plus vite.
5. Il était souhaitable que vous le remerciiez des services rendus.
6. Cela vous (T. P.) surprenait qu'elles m'obéissent si facilement.
7. Cela vous (V. P.) plaisait que nous osions insister.
8. Tu interdisais à ta femme de se mêler de tes affaires.
9. Non, je voulais seulement qu'elle se soumette à ce que je décidais.
10. Et en plus je lui conseillais de ne rien ajouter.
11. Mais, c'était inconcevable qu'elle l'accepte !
12. Elle ne l'acceptait pas ! Elle ne se soumettait pas !
13. Ah bon ! Mais, qu'est-ce qu'il raconte alors celui-là ?

1. Conjuguez à l'imparfait du subjonctif

(forme en -ra)   (forme en -se)
    gastar   **unir**

2. Traduisez   le combat = la lucha

a) Ils ont obéi, eux : il fallait, toi aussi, que tu obéisses.
b) Il n'était pas indispensable que tu l'aides, je crois.
c) Cela ne m'a pas plu que tu te moques de lui.
d) Je ne lui ai jamais conseillé d'accepter cela.
e) Il ne m'a pas paru souhaitable que vous le rejoigniez.
f) Que vous vous unissiez (T. P.) contre moi, c'était normal.
g) Mais je ne voulais pas que vous dépensiez toute votre (T. P.) énergie dans ce combat.
h) Il regrettait beaucoup que tu t'inquiètes tant et que tu te fatigues ainsi.
i) Vous n'admettiez pas (T. P.) que nous mangions tous ensemble. Je me demande pourquoi?

C 2 INFORMATIONS PRATIQUES

Situarse en el tiempo : el futuro

hoy	esta mañana esta tarde esta noche
mañana	mañana por la mañana mañana por la tarde mañana por la noche
pasado mañana	pasado mañana por la mañana pasado mañana por la tarde pasado mañana por la noche
dentro de	dentro de quince días dentro de dos meses dentro de tres años

1. Conjuguez à l'imparfait du subjonctif gastar et unir

gastara - gastaras - gastara - gastáramos - gastarais - gastaran
uniese - unieses - uniese - uniésemos - unieseis - uniesen.

2. Traduisez

a) Ellos obedecieron : hacía falta, tú también, que obedecieras.
b) No era indispensable que le ayudaras, creo.
c) No me gustó que te burlaras de él.
d) Nunca le aconsejé que aceptase esto.
e) No me pareció deseable que Ud se reuniera con él.
f) Que os unierais contra mí, era normal.
g) Pero no quería que gastaseis toda vuestra energía en esta lucha.
h) Sentía él mucho que te inquietaras tanto y que te cansaras así.
i) Vosotros no admitíais que comiésemos todos juntos. Me pregunto ¿por qué?

C 4 TRADUCTION

Se situer dans le temps : le futur

aujourd'hui	ce matin cet après-midi ce soir
demain	demain matin demain après-midi demain soir
après-demain	après-demain matin après-demain après-midi après-demain soir
dans	dans 15 jours dans 2 mois dans 3 ans

A 1 PRÉSENTATION

Le futur régulier

infinitif + é, ás, á, emos, éis, án.

hablar	+ é	→	hablaré	*je parlerai*
beber	+ ás	→	beberás	*tu boiras*
vivir	+ á	→	vivirá	*il vivra*
cantar	+ emos	→	cantaremos	*nous chanterons*
comer	+ éis	→	comeréis	*vous mangerez*
pedir	+ án	→	pedirán	*ils demanderont*

el cigarrillo	*la cigarette*	luego	*après, ensuite*
la luz	*la lumière*	apagar	*éteindre*
la novela	*le roman*	asistir	*assister*
el puro	*le cigare*	bailar	*danser*
la sardana	*la sardane*	comprar	*acheter*
después	*après,*	encender	*allumer*
	ensuite	pagar	*payer*

A 2 APPLICATION

1. Fumo un cigarrillo. Fumaré un cigarrillo.
2. Compras la novela. Comprarás la novela.
3. Apaga la luz. Apagará la luz.
4. Encendemos los puros. Encenderemos los puros.
5. Bailáis la sardana. Bailaréis la sardana.
6. Asisten a la conferencia. Asistirán a la conferencia.
7. ¿Enciende Ud este puro? — Lo encenderé después.
8. ¿Apagas la luz? — La apagaré luego (más tarde).
9. ¿Compras esta novela? — La compraré mañana.
10. ¿Bailan Uds hoy? — Sí, bailaremos esta noche.
11. ¿Ya han pagado los clientes? — No, pagarán mañana.
12. ¿Ya has escrito la carta? — No, la escribiré luego.
13. ¿Qué hora será?
14. — Serán las cinco y media.
15. ¿Dónde estará Miguel ahora?
16. — Estará leyendo una novela en el jardín.

A 3 REMARQUES

■ **Le futur régulier,** aussi bien en espagnol qu'en français, est en réalité un temps composé de **l'infinitif du verbe conjugué** suivi du verbe avoir auxiliaire « **haber** ».
Dans le futur espagnol cet auxiliaire se présente **sans h** et la deuxième personne du pluriel est réduite : **(h)é, (h)ás, (h)á, (h)emos, (hab)éis, (h)án.**
Ces terminaisons sont les mêmes pour tous les verbes, réguliers et irréguliers. Elles comportent toutes un **accent** écrit sauf la première personne du pluriel.

■ Le futur espagnol peut exprimer à lui seul **l'aspect de conjecture, de probabilité** pour des faits envisagés au présent : **no viene, estará enfermo** = il ne vient pas, il doit être malade.

■ **¿Qué? ¿Dónde?** N'oubliez pas l'accent sur les mots interrogatifs.

A 4 TRADUCTION

1. Je fume une cigarette. Je fumerai une cigarette.
2. Tu achètes le roman. Tu achèteras le roman.
3. Il éteint la lumière. Il éteindra la lumière.
4. Nous allumons les cigares. Nous allumerons les cigares.
5. Vous dansez la sardane. Vous danserez la sardane (T. P.).
6. Ils assistent à la conférence. Ils assisteront à la conférence.
7. Allumez-vous ce cigare? — Je l'allumerai après.
8. Éteins-tu la lumière? — Je l'éteindrai plus tard.
9. Achètes-tu (T. P.) ce roman? — Je l'achèterai demain.
10. Dansez-vous (V. P.) aujourd'hui? — Nous danserons ce soir.
11. Les clients ont-ils déjà payé? — Non, ils paieront demain.
12. As-tu déjà écrit la lettre? — Je l'écrirai plus tard.
13. Quelle heure peut-il être?
14. — Il doit être cinq heures et demie.
15. Où Michel peut-il être maintenant?
16. — Il doit être en train de lire un roman dans le jardin.

29 ■ ¿Lo compraría Ud?

B 1 PRÉSENTATION

Le conditionnel régulier

infinitif + **ía, ías, ía, íamos, íais, ían.**

comprar	+	ía	→	compraría	j'achèterais
vender	+	ías	→	venderías	tu vendrais
abrir	+	ía	→	abriría	il ouvrirait
cerrar	+	íamos	→	cerraríamos	nous fermerions
volver	+	íais	→	volveríais	vous reviendriez
recibir	+	ían	→	recibirían	ils recevraient

el bosque	le bois	admitir	admettre
el dinero	l'argent	esconder	cacher
la máquina	la machine	desear	désirer, souhaiter
la noticia	la nouvelle	lograr	obtenir, réussir
el permiso	la permission	parecer	sembler, paraître
la solución	la solution	subir	monter
aceptar	accepter	utilizar	utiliser

B 2 APPLICATION

1. Logro el permiso. Lograría el permiso.
2. Aceptas el dinero. Aceptarías el dinero.
3. Admite la solución. Admitiría la solución.
4. Utilizamos la máquina. Utilizaríamos la máquina.
5. Subís al bosque. Subiríais al bosque.
6. Esconden la noticia. Esconderían la noticia.
7. Joaquín fuma. Yo no fumaría.
8. Parece que lo acepta. ¿Lo aceptaría Ud?
9. Admito esta solución. ¿La admitirías?
10. Utilizamos la máquina. ¿Ud la utilizaría?
11. Suben al bosque. ¿Vosotros subiríais?
12. Esconden las noticias. ¿Las esconderían Uds?
13. Estarían de vacaciones en Mallorca.
14. ¿Aceptaría Ud utilizar esta máquina?
15. Nos gustaría lograr el permiso.

B 3 REMARQUES

■ Le conditionnel régulier s'obtient, en espagnol comme en français, en ajoutant à l'infinitif du verbe conjugué les terminaisons de l'imparfait de l'indicatif du verbe haber, c'est-à-dire : ía, -ías, -ía, -íamos, -íais, -ían.

■ Comme en français, on peut employer le conditionnel en espagnol comme un moyen d'atténuation soit pour rapporter des faits non garantis, soit pour exprimer poliment des demandes :
estaría en Líbano, il serait au Liban.
me gustaría bailar con Ud, j'aimerais danser avec vous.

■ Attention à la prononciation : dans le groupe -ía l'accent sur le i indique que ces deux voyelles appartiennent à des syllabes différentes. Ainsi comería se prononcera en quatre syllabes distinctes co-me-rí-a, sans craindre d'allonger le son du i.

B 4 TRADUCTION

1. J'obtiens la permission. J'obtiendrais la permission.
2. Tu acceptes l'argent. Tu accepterais l'argent.
3. Il admet la solution. Il admettrait la solution.
4. Nous utilisons la machine. Nous utiliserions la machine.
5. Vous montez au bois. Vous monteriez au bois (T. P.).
6. Ils cachent la nouvelle. Ils cacheraient la nouvelle.
7. Joachim fume. Moi, je ne fumerais pas.
8. Il semble qu'il l'accepte. L'accepteriez-vous?
9. J'admets cette solution. L'admettrais-tu?
10. Nous utilisons la machine. L'utiliseriez-vous?
11. Ils montent au bois. Vous, vous monteriez (T. P.)?
12. Ils cachent les nouvelles. Les cacheriez-vous (V. P.)?
13. Ils seraient en vacances à Majorque.
14. Accepteriez-vous d'utiliser cette machine.
15. Nous aimerions obtenir la permission.

1. Répondre au futur en employant le pronom complément

¿Compras esta novela?
¿Escribe él la carta?
¿Bailan Uds el tango?
¿Encienden ellos la luz?

2. Mettre au conditionnel

Asisto a la conferencia.
Admites la solución.
Ud acepta el dinero.
Logramos el permiso.
Subís al bosque.
Apagan la luz.

3. Traduire

Payez-vous maintenant? — Non, je paierai demain.
Utilisez-vous cette machine (V. P.)? — Non, nous l'utiliserons
plus tard.
Quelle heure peut-il être?
J'aimerais fumer un cigare.
Il se cacherait aux États-Unis (los Estados Unidos).
Nous n'admettrions pas ce retard (retraso).

C 2 INFORMATIONS PRATIQUES

Cambiar divisas

— Por favor, ¿dónde está la oficina de cambio?
— Quisiera cambiar francos (belgas, franceses, suizos).
¿Dónde se cobrán los cheques de viaje?
— En la ventanilla nº 8.
— ¿Dónde está indicada la cotización?
¿A cuánto está el cambio hoy?
— Un franco diecisiete pesetas.
— ¿Puede Ud cambiarme estos cheques de viaje?
— Tiene Ud un documento de identidad?
Firme Ud aquí, por favor.

1. Répondre au futur en employant le pronom complément

— La compraré.
— La escribirá.
— Lo bailaremos.
— La encenderán.

2. Mettre au conditionnel

Asistiría a la conferencia.
Admitirías la solución.
Ud aceptaría el dinero.
Lograríamos el permiso.
Subiríais al bosque.
Apagarían la luz.

3. Traduire

Paga Ud ahora? — No, pagaré mañana.
Utilizan Uds esta máquina? — No, la utilizaremos luego.
¿Qué hora será?
Me gustaría fumar un puro.
Se escondería en los Estados Unidos.
No admitiríamos este retraso.

C 4 TRADUCTION

Changer des devises

— S'il vous plaît, où est le bureau de change?
— Je voudrais changer des francs.
Où touche-t-on les chèques de voyage?
— Au guichet n° 8.
— Où le cours est-il indiqué?
Quel est le change aujourd'hui?
— Un franc les dix-sept pesètes.
— Pouvez-vous me changer ces chèques de voyage?
— Avez-vous une pièce d'identité?
Signez ici, s'il vous plaît.

A 1 PRÉSENTATION

Le futur irrégulier

1. **hacer : haré, harás, hará, haremos, haréis, harán.**
   decir : diré, dirás, dirá, diremos, diréis, dirán.

2. **venir, poner, tener, valer, salir (radical + dr-é) :**
   vendré...; pondré...; tendré...; valdré...; saldré...

3. **Saber, caber, poder, haber, querer (radical + r-é) :**
   sabré...; cabré...; podré...; habré...; querré...

el esfuerzo	*l'effort*	poder	*pouvoir*
la persona	*la personne*	poner	*mettre*
el proyecto	*le projet*	proponer	*proposer*
la voluntad	*la volonté*	querer	*vouloir, aimer*
caber	*tenir, contenir*	saber	*savoir*
decir	*dire*	salir	*sortir, partir*
hacer	*faire*	valer	*valoir*

A 2 APPLICATION

1. Puedo venir. Podré venir.

2. Haces un esfuerzo. Harás un esfuerzo.

3. Dice que lo sabe. Dirá que lo sabe.

4. Venimos a las once. Vendremos a las once.

5. Queréis hacerlo. Querréis hacerlo.

6. Proponen sus proyectos. Propondrán sus proyectos.

7. Hay mucho interés. Habrá mucho interés.

8. Sé lo que dicen. Sabré lo que dicen.

9. ¿Has hecho la traducción? — La haré luego.

10. ¿Tiene Ud voluntad? — La tendré mañana.

11. ¿Habéis podido verle? — Podremos verle el domingo.

12. ¿Han venido sus amigos? — Vendrán después.

13. ¿Salgo ahora? — Ud saldrá más tarde.

14. ¿Me lo dice Ud ahora? — No, se lo diré después.

15. ¿Cuánto vale eso? ¿Cuánto valdrá mañana?

A 3 REMARQUES

■ **Au futur la terminaison est la même** pour tous les verbes, réguliers ou irréguliers.

■ **Le radical du futur irrégulier seul change :**
— Pour **saber, caber, poder, haber et querer,** il s'agit simplement de contractions réalisées par la chute de l'**e** ou de l'**i** de l'infinitif : **saber = sabré.**
— Pour **venir, poner, tener valer et salir,** l'**e** ou l'**i** de l'infinitif est remplacé par un **d** : **venir = vendré.**
— **hacer** et **decir** sont plus irréguliers et présentent les formes **haré** et **diré.**

■ **proponer,** proposer, se conjugue comme **poner.** Les verbes composés d'un préfixe (ici **pro-**) et d'un verbe irrégulier (ici **poner**) se conjuguent comme celui-ci.

A 4 TRADUCTION

1. Je peux venir. Je pourrai venir.

2. Tu fais un effort. Tu feras un effort.

3. Il dit qu'il le sait. Il dira qu'il le sait.

4. Nous venons à onze heures. Nous viendrons à onze heures.

5. Vous voulez le faire. Vous voudrez le faire (T. P.).

6. Ils proposent leurs projets. Ils proposeront leurs projets.

7. Il y a beaucoup d'intérêt. Il y aura beaucoup d'intérêt.

8. Je sais ce qu'ils disent. Je saurai ce qu'ils disent.

9. As-tu fait la traduction? — Je la ferai plus tard.

10. Avez-vous de la volonté? — J'en aurai demain.

11. Avez-vous pu le voir (T. P.)? — Nous pourrons le voir dimanche.

12. Vos amis sont-ils venus? — Ils viendront après.

13. Je sors maintenant? — Vous sortirez plus tard.

14. Vous me le dites maintenant? — Non, je vous le dirai après.

15. Combien cela vaut-il? Combien cela vaudra-t-il demain?

30 ■ ¿Lo harían Uds?

B 1 PRÉSENTATION

Le conditionnel irrégulier

Futur irrég. → conditionnel irrég.

1. **hacer : haré → haría;   decir : diré → diría.**
   haría, harías, haría, haríamos, haríais, harían.
   diría, dirías, diría, diríamos, diríais, dirían.
2. **Venir, poner, tener, valer, salir (rad. + dr-ía).**
   vendría; pondría; tendría; valdría; saldría.
3. **Saber, caber, poder, haber, querer (rad. + r-ía).**
   sabría; cabría; podría; habría; querría.

la corbata	*la cravate*	pronto	*vite, bientôt*
el tráfico	*la circulation*	continuar	*continuer*
los zapatos	*les chaussures*	convenir	*convenir*
cursi	*de mauvais goût*	detenerse	*s'arrêter*
juntos	*ensemble*	suponer	*supposer*

B 2 APPLICATION

1. Yo no lo hago. ¿Lo harías?
2. Tú no lo dices. ¿Lo diría tu padre?
3. Ud no la pone. ¿Por qué la pondría yo?
4. Nosotros no sabemos. ¿Lo sabrían Uds?
5. Vosotros no podéis.. ¿Lo podrían ellos?
6. Uds no las quieren. ¿Por qué las querríamos nosotros?
7. Decía que lo haría pronto.
8. Quería saber cuándo vendrían Uds.
9. No sabía que se pondría esta corbata cursi.
10. Suponía que dispondríais de diccionarios.
11. Salen juntos. Yo no saldría con él.
12. No saben cómo continuar. Yo lo sabría.
13. No se detiene a pesar del tráfico. Yo me detendría.
14. No le convienen estos zapatos. A mí me convendrían.
15. No se vale de su diccionario. Yo me valdría de él.

B 3 REMARQUES

■ Au conditionnel comme au futur **la terminaison est la même** pour tous les verbes, réguliers ou irréguliers.

■ **L'irrégularité du futur se retrouve toujours au conditionnel :**

diré → diría	sabremos → sabríamos
valdrá → valdría	podrán → podrían

■ **Rappel.** Les verbes composés sur des verbes irréguliers (préfixe + verbe) se conjuguent comme ceux-ci à tous les temps qui comportent une irrégularité :
detener arrêter : **detengo** (Pr.) **détendré** (Fut.)
convenir convenir : **conviene** (Pr.) **convendrá** (Fut.)

■ Attention au verbe **querer :**
quería (avec 1 r), il voulait, et **querría (avec 2 r)** il voudrait. Ce verbe est peu utilisé au conditionnel où l'on emploie la forme **quisiera : quisiera verla,** je voudrais vous voir.

B 4 TRADUCTION

1. Moi, je ne le fais pas. Le ferais-tu?
2. Toi, tu ne le dis pas. Ton père le dirait-il?
3. Vous, vous ne la mettez pas. Pourquoi la mettrais-je?
4. Nous, nous ne savons pas. Le sauriez-vous (V. P.)?
5. Vous, vous ne pouvez pas (T. P.). Le pourraient-ils?
6. Vous ne les voulez pas (V. P.). Pourquoi les voudrions-nous?
7. Il disait qu'il le ferait bientôt.
8. Il voulait savoir quand vous viendriez (V. P.).
9. Je ne savais pas qu'il mettrait cette cravate vulgaire.
10. Je supposais que vous disposeriez de dictionnaires (T. P.).
11. Ils sortent ensemble. Moi, je ne sortirais pas avec lui.
12. Ils ne savent pas comment continuer. Moi je le saurais.
13. Il ne s'arrête pas malgré la circulation. Moi, je m'arrêterais.
14. Ces chaussures ne lui conviennent pas. A moi elles me conviendraient.
15. Il ne se sert pas de son dictionnaire: Moi je m'en servirais.

1. Mettre au futur

Hago un esfuerzo
Dices la verdad
Tiene la voluntad

Hay mucha gente
La queremos mucho.
Ponen la mesa

2. Mettre au conditionnel

Lo hago
Lo propongo
Lo digo

Salimos ahora
Vienen mañana
Lo pueden

3. Traduire

Je dirai ce que (lo que) je sais.
Vous proposerez (V. P.) votre projet.
Nous ne savons pas si nous pourrons venir.
Vous sortirez (T. P.) plus tard.
Votre ami viendra bientôt.
Où mettrais-je ces chaussures?
Ces dictionnaires nous conviendraient.
Vous sauriez ce qu'ils pensent.
Je ne sortirais pas avec cette cravate de mauvais goût.
Nous ne nous arrêterions pas malgré la circulation.

C 2 INFORMATIONS PRATIQUES

El color

amarillo	naranja
azul	negro
beige	oro
blanco	plata
crema	purpúreo
gris	rojo
malva	rosa
marrón	verde
morado	violeta

— Es azul marino. ¿Le gustaría a Ud este colorido?
— ¿No tendría Ud un matiz menos oscuro?
Quisiera un tono más claro, casi azul celeste.

1. Mettre au futur

Haré un esfuerzo
Dirás la verdad
Tendrá la voluntad

Habrá mucha gente
La querremos mucho
Pondrán la mesa

2. Mettre au conditionnel

Lo haría
Lo propondría
Lo diría

Saldríamos ahora
Vendrían mañana
Lo podrían

3. Traduire

Diré lo que sé.
Uds propondrán su proyecto.
No sabemos si podremos venir.
Saldréis luego.
Su amigo vendrá pronto.
¿Dónde pondría yo estos zapatos?
Nos convendrían estos diccionarios.
Sabría Ud lo que piensan.
No saldría con esta corbata cursi.
No nos detendríamos a pesar del tráfico.

C 4 TRADUCTION

La couleur

jaune
bleu
beige
blanc
crème
gris
mauve
marron
violet

orange
noir
or
argent
pourpre
rouge
rose
vert
violet

— C'est bleu marine. Aimeriez-vous ce coloris?
— N'auriez-vous pas une nuance moins sombre?
Je voudrais un ton plus clair, presque bleu ciel.

31 ■ Quiere que yo hable

A 1 PRÉSENTATION

Concordance des temps (I)

présent de l'indicatif
futur de l'indicatif $\Big\}$ → présent du subjonctif

siento .... $\Big\}$
    je regrette → **que no vengas**
sentiré .... $\Big)$
    je regretterai *que tu ne viennes pas*

el banco	*la banque*	colocar	*placer*
el juego	*le jeu*	encantar	*enchanter*
el mecánico	*le mécanicien*	gustar	*plaire*
el puesto	*l'emploi*	llamar	*appeler*
la vergüenza	*la honte*	llegar	*arriver*
imprescindible	*indispensable*	pegar	*battre, coller*
mejor	*mieux, meilleur*	sentir	*regretter, sentir*

A 2 APPLICATION

1. Le gusta este juego. Lo siento.
2. Siento mucho que le guste este juego.
3. Le has pegado a Miguel. Es una vergüenza.
4. Es una vergüenza que le hayas pegado a Miguel.
5. Llamamos al mecánico. Es imprescindible.
6. Es imprescindible que llamemos al mecánico.
7. Te dan el puesto. Me encanta.
8. Me encanta que te den el puesto.
9. Ud colocará el dinero en el banco. Será mejor.
10. Será mejor que Ud coloque el dinero en el banco.
11. Llegará a las nueve. ¿Le gustará a Ud?
12. ¿Le gustará a Ud que llegue a las nueve?
13. Lo sabrán todos. ¿Será posible?
14. Será posible que lo sepan todos.

31 ■ Il veut que je parle

A 3 REMARQUES

■ La concordance des temps en espagnol : comme en français, l'emploi du **présent ou du futur de l'indicatif dans la principale** conduit toujours, si le subjonctif est nécessaire **dans la subordonnée**, à l'emploi du **présent du subjonctif**. Le problème le plus important reste donc de déterminer s'il convient ou non d'utiliser le subjonctif.

■ **Indicatif ou subjonctif?** Si la proposition principale est constituée par un verbe qui se borne à rapporter ou à annoncer un **fait réel** le verbe de la subordonnée reste à l'**indicatif**. Il doit être mis au **subjonctif** si le verbe de la principale **nie ou met en doute la réalité d'un fait** (**no creo que,** je ne crois pas) ou s'il se rapporte à des faits éventuels dont la réalisation est liée à un **ordre** (**pedir,** demander), **une défense** (**prohibir,** interdire), **une obligation** (**hace falta que,** il faut que), **une hypothèse** (**es fácil que,** il se peut que), **une appréciation** (siento que, je regrette que), etc.

A 4 TRADUCTION

1. Il aime ce jeu. Je le regrette.

2. Je regrette beaucoup qu'il aime ce jeu.

3. Tu as battu Michel. C'est une honte.

4. C'est une honte que tu aies battu Michel.

5. Nous appelons le mécanicien. C'est indispensable.

6. Il est indispensable que nous appelions le mécanicien.

7. Ils te donnent la place. Cela m'enchante.

8. Je suis enchanté qu'ils te donnent la place.

9. Vous placerez l'argent à la banque. Ce sera mieux.

10. Il sera mieux que vous placiez l'argent à la banque.

11. Il arrivera à neuf heures. Cela vous plaira-t-il?

12. Vous plaira-t-il qu'il arrive à neuf heures?

13. Ils le sauront tous. Sera-ce possible?

14. Il sera possible qu'ils le sachent tous.

31 ■ Quería que yo hablara

B 1 PRÉSENTATION

Concordance des temps (II)

imparfait de l'indicatif
passé simple de l'ind. $\Big\}$ → imparfait du subjonctif
conditionnel

sentía, sentí..........
  je regrettais
  j'ai regretté $\Big\}$ → **que no llegara**
sentiría.............. *qu'il n'arrive pas*
  je regretterais

la empresa	*l'entreprise*	firmar	*signer*
la mano	*la main*	inquietarse	*s'inquiéter*
el recibo	*le reçu*	lavarse	*se laver*
para que	*pour que*	pagar	*payer*
sin que	*sans que*	pedir	*demander*
aburrirse	*s'ennuyer*	sentarse (ie)	*s'asseoir*
alegrarse	*se réjouir*	trabajar	*travailler*

B 2 APPLICATION

1. Quiere que yo trabaje en su empresa.
2. Quería que yo trabajara en su empresa.
3. Te dice que te sientes.
4. Te decía que te sentaras.
5. Se lo escribo para que no se inquiete.
6. Se lo escribí para que no se inquietara.
7. Le habla sin que le comprenda.
8. Le habló sin que le comprendiera.
9. Me alegro de que no te aburras.
10. Me alegraría de que no te aburrieras.
11. Te pido que te laves las manos.
12. Te pediría que te lavaras las manos.
13. No pago sin que Uds me firmen un recibo.
14. No pagaría sin que Uds me firmaran un recibo.

31 ■ Il voulait que je parle

B 3 REMARQUES

■ La concordance des temps en espagnol (suite) : l'emploi des **temps du passé de l'indicatif (imparfait, passé simple, etc.) et du conditionnel dans la principale** conduit toujours, si le subjonctif est nécessaire **dans la subordonnée,** à l'emploi de **l'imparfait du subjonctif.** Le français moderne tolère le plus souvent l'emploi du présent du subjonctif. Il convient donc d'être très attentif en espagnol où l'imparfait du subjonctif reste la règle.

■ L'emploi du subjonctif est obligatoire après un certain nombre de conjonctions espagnoles comme :

para que		pour que
sin que		sans que
antes (de) que	+ subjonctif	avant que
a no ser que		à moins que
hasta que		jusqu'à ce que

B 4 TRADUCTION

1. Il veut que je travaille dans son entreprise.
2. Il voulait que je travaille dans son entreprise.
3. Il te dit de t'asseoir.
4. Il te disait de t'asseoir.
5. Je vous l'écris pour que vous ne vous inquiétiez pas.
6. Je vous l'ai écrit pour que vous ne vous inquiétiez pas.
7. Il lui parle sans qu'il le comprenne.
8. Il lui a parlé sans qu'il le comprenne.
9. Je me réjouis que tu ne t'ennuies pas.
10. Je me réjouirais que tu ne t'ennuies pas.
11. Je te demande de te laver les mains.
12. Je te demanderais de te laver les mains.
13. Je ne paie pas sans que vous me signiez un reçu (V. P.).
14. Je ne paierais pas sans que vous me signiez un reçu (V. P.).

1. Mettre le verbe principal au futur

Le escribo a Ud que no se inquiete.
Te pedimos que llegues a las cinco.

2. Mettre le verbe principal au présent de l'indicatif

Me alegraría de que no te aburrieras.
Le pedimos a Ud que no pagara.

3. Mettre le verbe principal à l'imparfait de l'indicatif

Quiero que te laves las manos.
Siente mucho que te aburras.

4. Mettre le verbe principal au passé simple

Me alegro de que no te inquietes.
Les escriben a Uds que coloquen su dinero en el banco.

5. Mettre le verbe principal au conditionnel

Será posible que lo comprenda.
Le pido a Ud que llame al mecánico.

6. Traduire

Nous vous demandons de signer ce reçu.
Je regretterais beaucoup que vous aimiez ce jeu.
Nous lui écrirons de ne pas s'inquiéter.
Je me réjouis que tu ne t'ennuies pas.
Il serait mieux que vous travailliez dans cette entreprise.

C 2 INFORMATIONS PRATIQUES

¿Cómo es este hombre?

alto o bajo
gordo o delgado (flaco)
guapo o feo

joven o viejo
fuerte o débil
vivo o pesado

¿Es rubio, castaño, moreno o pelirrojo?
¿Tiene el pelo (los cabellos) liso, crespo, rizado, ralo o es calvo?

Tiene ojos azules y dientes muy sanos.
Antes era barbudo y llevaba gafas.
Es muy feliz porque lleva una vida muy activa.

1. Mettre le verbe principal au futur

Le escribiré a Ud que no se inquiete.
Te pediremos que llegues a las cinco.

2. Mettre le verbe principal au présent de l'indicatif

Me alegro de que no te aburras.
Le pedimos a Ud que no pague.

3. Mettre le verbe principal à l'imparfait de l'indicatif

Quería que te lavaras las manos.
Sentía mucho que te aburrieras.

4. Mettre le verbe principal au passé simple

Me alegré de que no te inquietaras.
Les escribieron que colocaran su dinero en el banco.

5. Mettre le verbe principal au conditionnel

Sería posible que lo comprendiera.
Le pediría a Ud que llamara al mecánico.

6. Traduire

Le pedimos a Ud que firme este recibo.
Sentiría mucho que le gustara a Ud este juego.
Le escribiremos que no se inquiete.
Me alegro de que no te aburras.
Sería mejor que Ud trabajara en esta empresa.

C 4 TRADUCTION

Comment est cet homme?

grand ou petit
gros ou mince (maigre)
beau ou laid

jeune ou vieux
fort ou faible
vif ou lourd

Est-il blond, châtain, brun ou roux?
A-t-il les cheveux lisses, crépus, frisés, clairsemés ou est-il chauve?

Il a des yeux bleus et des dents très saines.
Auparavant, il était barbu et portait des lunettes.
Il est très heureux parce qu'il mène une vie très active.

32 ■ Hube, tuve

A 1 PRÉSENTATION

Passé simple et imparfaits du subjonctif irréguliers (I)

haber (auxiliaire) → *avoir, posséder* ← **tener**

hube	*j'ai eu*	**tuve**
hubiste	*tu as eu*	**tuviste**
hubo	*il a eu*	**tuvo**
hubimos	*nous avons eu*	**tuvimos**
hubisteis	*vous avez eu*	**tuvisteis**
hubieron	*ils ont eu*	**tuvieron**

hubiera	**hubiese**	*que j'aie eu*	**tuviera**	**tuviese**
hubieras	**hubieses**		**tuvieras**	**tuvieses**
...	**...**		**...**	**...**

la discusión	*la discussion*	el valor	*le courage*
la oportunidad	*l'occasion*	¡pobrecito!	*pauvre petit*
la suerte	*la chance*	tanto, a	*tant de*
el trabajo	*le travail*	en cuanto	*dès que*

A 2 APPLICATION

1. Cuando ellas hubieron llegado, descansaron.
2. En cuanto él hubo llegado, me marché en seguida.
3. Hubo mucha gente y no hubo bastante sitio.
4. ¡Hubo tantas discusiones! No tuve tiempo de salir.
5. Tuviste mucha suerte, porque eras la primera.
6. ¡Pobrecito! No tuvo nada en su vida.
7. ¿Tuvieron Uds la oportunidad de encontrarle?
8. No, no tuvimos esta oportunidad y lo sentimos.
9. ¿Tuviste tiempo de escribir a tu tío?
10. No, no lo tuve. ¡Qué le vamos a hacer!
11. ¡Era inevitable que no hubiera nadie!
12. Ella no aceptaba que tuvieras tanto trabajo.
13. Yo no pedía que tuvieses tanto valor.

A 3 REMARQUES

■ **haber** est le **seul auxiliaire** utilisé en espagnol pour la formation des temps composés (V. leçon 14).

■ **haber** au passé simple suivi d'un participe passé constitue le passé antérieur : **hube comido** = j'eus mangé.
Attention à la forme impersonnelle de **haber** : **hubo mucha gente** = il y eut beaucoup de monde.

■ **tener** signifie « avoir », au sens de posséder, détenir.

■ Les passés simples de ces deux verbes **haber** et **tener** sont irréguliers :
— il y a modification de la voyelle du radical ; aux première et troisième personnes du singulier, la terminaison ne correspond pas à celle des passés réguliers.
— il n'y a pas d'accent écrit aux 1re et 3e personnes du singulier.

■ Les deux subjonctifs imparfaits, comme pour les verbes réguliers, proviennent de la 3e personne du pluriel du passé simple.
On emploie indifféremment l'un ou l'autre des deux subjonctifs imparfaits.

A 4 TRADUCTION

1. Quand elles furent arrivées, elles se reposèrent.
2. Dès qu'il fut arrivé, je suis parti immédiatement.
3. Il y eut beaucoup de monde et il n'y eut pas assez de place.
4. Il y eut tant de discussions! Je n'ai pas eu le temps de sortir.
5. Tu as eu beaucoup de chance, parce que tu étais la première.
6. Pauvre petit! Il n'a rien eu dans sa vie.
7. Avez-vous eu (V. P.) l'occasion de le rencontrer?
8. Non, nous n'avons pas eu cette occasion et nous le regrettons.
9. As-tu eu le temps d'écrire à ton oncle?
10. Non, je ne l'ai pas eu. Que veux-tu qu'on y fasse!
11. Il était inévitable qu'il n'y ait personne!
12. Elle n'acceptait pas que tu aies autant de travail.
13. Je ne demandais pas que tu aies autant de courage.

32 ■ ¿No fue posible que estuvieseis con él?

B 1 PRÉSENTATION

Passé simple et imparfaits du subjonctif irréguliers (II)

ser	→	être	←	estar
fui		j'ai été		**estuve**
fuiste		tu as été		**estuviste**
fue		il a été		**estuvo**
fuimos		nous avons été		**estuvimos**
fuisteis		vous avez été		**estuvisteis**
fueron		ils ont été		**estuvieron**

fuera	**fuese**	que j'aie été	**estuviera**	**estuviese**
fueras	**fueses**		**estuvieras**	**estuvieses**
...	...		...	...

el alumno	l'élève	último, a	dernier, ère
el pánico	la panique	estar a punto de	être sur le point de
tremendo	terrible	irse	s'en aller, partir

B 2 APPLICATION

1. ¿Fuiste un buen alumno? — Sí, lo fui.
2. Y él, ¿lo fue? — Sí, creo que lo fue también.
3. ¿Fuisteis buenos con ella? — Sí, fuimos muy buenos.
4. ¿Fueron ellos los primeros? — No, fueron los últimos.
5. Fue un pánico tremendo, ¿no? — Sí, fue tremendo.
6. ¿Cuántcs días estuvo él? — Estuvo quince días.
7. ¿Estuvo Ud de acuerdo? — Sí, sí, estuve de acuerdo.
8. Estuvieron Uds a punto de irse, ¿verdad?
9. Sí, estuvimos a punto de irnos.
10. ¿No fue posible que estuvieseis con él?
11. ¿Quién quería que fuese ella la primera?
12. Era preferible que fuera verdad.
13. Yo no podía aceptar que Uds estuvieran aquí sin hacer nada.

32 ■ N'a-t-il pas été possible que vous soyez avec lui?

B 3 REMARQUES

■ **Rappel.** Attention aux emplois des verbes « **ser** » et « **estar** » (V. gram. (p. 262) et leçons 15 et 16).

■ **Fuera:** c'est un adverbe qui signifie « dehors », « hors de » et qui, bien sûr, n'a rien à voir avec l'imparfait du subjonctif des verbes « ser » ou « ir ».

■ Les passés simples des verbes « **ser** » et « **estar** » sont irréguliers. Apprenez-les par cœur, donc.
Les subjonctifs imparfaits, comme pour les verbes réguliers, proviennent de la troisième personne du pluriel du passé simple.

■ **Bueno:** adjectif qui apocope, c'est-à-dire qui perd sa voyelle finale devant un nom masculin singulier :

> **un buen hombre** = un brave homme
> **un hombre bueno** = un homme généreux

B 4 TRADUCTION

1. As-tu été un bon élève? — Oui, je l'ai été.

2. Et lui, l'a-t-il été? — Oui, je crois qu'il l'a été aussi.

3. Avez-vous été (T. P.) bons avec elle? — Oui, nous avons été très bons.

4. Ont-ils été les premiers? — Non, ils ont été les derniers.

5. Cela a été une panique terrible, non? — Oui, cela a été terrible.

6. Combien de jours est-il resté? — Il est resté 15 jours.

7. Avez-vous été d'accord? — Oui, oui, j'ai été d'accord.

8. Vous avez été (V. P.) sur le point de partir, n'est-ce pas?

9. Oui, nous avons été sur le point de partir.

10. N'a-t-il pas été possible que vous soyez (T. P.) avec lui?

11. Qui voulait qu'elle soit la première?

12. Il était préférable que cela soit vrai.

13. Je ne pouvais pas accepter que vous soyez (V. P.) ici sans rien faire.

1. Traduisez   assez de = bastante

a) Avant-hier soir, il y a eu beaucoup de monde.
b) Vous savez, le mois dernier, vous avez eu de la chance.
c) La semaine dernière, il a été ici tout le temps.
d) Elles ont été des élèves très agréables.
e) Nous avons eu la chance de pouvoir l'écouter.
f) Dès qu'ils eurent gagné assez d'argent, ils partirent.

2. Traduisez   Il était normal...

a) Ils ont été contents
b) Tu as eu confiance
c) Nous avons été fatigués
d) Il a été un bon mari
e) Vous avez été méchante
f) Elle a été la dernière
g) Il n'y a rien eu
h) Il y a eu quelque chose

i) qu'ils aient été contents
j) que tu aies eu confiance
k) que nous ayons été fatigués
l) qu'il ait été un bon mari
m) que vous ayez été méchante
n) qu'elle ait été la dernière
o) qu'il n'y ait rien eu
p) qu'il y ait eu quelque chose·

C 2   INFORMATIONS PRATIQUES

La familia

los abuelos = el abuelo	+ la abuela	
los padres = el padre	+ la madre	
el marido	+ la esposa (la mujer)	
los hijos = el hijo	+ la hija	
el hermano	+ la hermana	
los parientes: el tío	+ la tía	= los tíos
el primo	+ la prima	= los primos
el suegro	+ la suegra	= los suegros
el yerno	+ la nuera	
el cuñado	+ la cuñada	
el nieto	+ la nieta	= los nietos
el sobrino	+ la sobrina	= los sobrinos

1. Traduisez

a) Anteanoche, hubo mucha gente.
b) Ud sabe, el mes pasado, tuvo suerte.
c) La semana pasada, él estuvo aquí todo el tiempo.
d) Ellas fueron alumnas muy agradables.
e) Tuvimos la óportunidad de poder escucharle a él.
f) En cuanto hubieron ganado bastante dinero, se marcharon.

2. Traduisez

Era normal...

a) Ellos estuvieron contentos
b) Tuviste confianza
c) Estuvimos cansados
d) Él fue un buen marido
e) Ud fue mala
f) Ella fue la última
g) No hubo nada
h) Hubo algo

i) que estuvieran contentos
j) que tuvieses confianza
k) que estuviéramos cansados
l) que fuese un buen marido
m) que Ud fuera mala
n) que ella fuese la última
o) que no hubiera nada
p) que hubiese algo

C 4 TRADUCTION

La famille

les grands-parents = le grand-père + la grand-mère

les parents = le père + la mère
le mari + l'épouse (la femme)

les enfants = le fils + la fille
le frère + la sœur

la parenté : l'oncle + la tante = les oncle et tante
le cousin + la cousine = les cousins
le beau-père + la belle-mère = les beaux-parents
le gendre + la belle-fille
le beau-frère + la belle-sœur
le petit-fils + le petit-fils = les petits-enfants
le neveu + la nièce = les neveu et nièce

33 ■ Vine, dije

A 1 PRÉSENTATION

Passé simple et imparfaits du subjonctif irréguliers (III)

venir	*venir*	**decir**	*dire*
vine	*je suis venu*	**dije**	*j'ai dit*
viniste	...	**dijiste**	...
vino		**dijo**	
vinimos		**dijimos**	
vinisteis		**dijisteis**	
vinieron		**dijeron**	

viniera	**viniese**		**dijera**	**dijese**
vinieras	**vinieses**		**dijeras**	**dijeses**
...	...		...	...
	que je sois venu			*que j'aie dit*

una vez	*une fois*	así que	*ainsi, de telle sorte que*
oponerse	*s'opposer*	hasta luego	*à bientôt*
helar	*geler*	sin que	*sans que*
llover	*pleuvoir*	ya	*déjà*

A 2 APPLICATON

1. Ya vine dos veces. — ¡Cómo! ¿viniste aquí?
2. Sí, claro que vine. Dos veces, te dije.
3. ¿Vinieron Uds a verme? — Sí, señor, vinimos a verle.
4. Pero, yo no quería que Uds vinieran a verme.
5. ¡Cómo! ¿Ud no quería que viniéramos?
6. Así que Ud se oponía a que viniésemos a verle.
7. ¿Dijo Ud que llovía? — No, dije que helaba.
8. ¿Dijeron ellos algo? — No, no dijeron nada.
9. ¿Os dijisteis adiós? — Sólo nos dijimos hasta luego.
10. ¿Querías que yo se lo dijera a ella?
11. Sí, yo quería que tú se lo dijeras.
12. Yo no podía aceptar que vinierais a verla sin que me lo dijeseis.

A 3 REMARQUES

■ Les passés simples des verbes **« venir »** et **« decir »** sont irréguliers :
— la voyelle du radical n'est pas la même. (Notez que la même modification intervient en français pour le verbe « venir » : je vins, tu vins, etc.)
— il n'y a pas d'accent écrit aux 1re et 3e personnes du singulier.

■ Attention à la 3e personne du pluriel de « decir » où le « *j* » (jota) est suivi d'un « **e** » et non de « *ie* ».
Les subjonctifs imparfaits, provenant de la 3e personne du pluriel du passé simple, présenteront donc les mêmes irrégularités.

■ Attention au sens de « **decir** » qui peut être double :
dire, communiquer, faire savoir : je vous ai dit qu'il faisait beau
dire, ordonner : je vous ai dit de venir.
Dans le premier cas, « **decir** » sera suivi de l'indicatif, dans le deuxième, du subjonctif.

A 4 TRADUCTION

1. Je suis déjà venu deux fois. — Comment! tu es venu ici?

2. Oui, bien sûr que je suis venu. Deux fois, je t'ai dit.

3. Etes-vous venus (V. P.) me voir? — Oui, Monsieur, nous sommes venus vous voir.

4. Mais, moi je ne voulais pas que vous veniez me voir (V.P.).

5. Comment! Vous ne vouliez pas que nous venions!

6. Ainsi, vous vous opposiez à ce que nous venions vous voir!

7. Avez-vous dit qu'il pleuvait? — Non, j'ai dit qu'il gelait.

8. Ont-ils dit quelque chose? — Non, ils n'ont rien dit.

9. Vous êtes-vous dit (T. P.) au revoir? — Nous nous sommes seulement dit à bientôt.

10. Tu voulais que moi je le lui dise à elle?

11. Oui, moi je voulais que tu le lui dises.

12. Je ne pouvais pas accepter que vous veniez (T. P.) la voir sans que vous me le disiez (T.P.).

33 ■ ¡Qué querías que hiciese!

B 1 PRÉSENTATION

Passé simple et imparfaits du subjonctif irréguliers (IV)

hacer	faire	**querer**	vouloir, aimer
hice	j'ai fait	**quise**	j'ai voulu
hiciste	...	**quisiste**	...
hizo		**quiso**	
hicimos		**quisimos**	
hicisteis		**quisisteis**	
hicieron		**quisieron**	

hiciera	**hiciese**	**quisiera**	**quisiese**
hicieras	**hicieses**	**quisieras**	**quisieses**
...	...	...	...
que j'aie fait		que j'aie voulu	

concebir	concevoir
deshacer	défaire
hacer lo posible	faire son possible
entonces	alors, dans ces conditions
gracias	merci

B 2 APPLICATION

1. ¿Qué hizo él entonces? — Él no hizo nada.
2. Y tú, ¿qué hiciste? — ¡Qué querías que hiciese!
3. ¿Hicieron Uds lo posible? — Sí, hicimos todo lo posible.
4. ¿Cuándo lo hicieron ellos? — Lo hicieron cuando quisieron.
5. ¿Hicisteis lo que queríais? — Sí, gracias, lo hicimos.
6. Quisiste a esta chica, ¿no? — Sí, la quise muchísimo.
7. No quiso Ud venir, ¿verdad? — No, no quise venir.
8. ¿Quería él que lo hiciéramos? — Sí, quería que lo hicierais.
9. ¿Por qué no quiso él que lo deshicieses?
10. No sé, pero él no lo quiso y no lo deshice.
11. No se podía concebir que no la quisieras.
12. No me parecía útil que lo hicieseis juntos.
13. Que tú lo hicieses o deshicieses, me daba igual.

33 ■ Que voulais-tu que je fasse!

B 3 REMARQUES

■ Les passés simples des verbes « **hacer** » et « **querer** » sont irréguliers :
— la voyelle du radical n'est pas la même. (Pensez aux verbes « faire » et « requérir » qui, au passé simple également, vont avoir un « i » : je fis, je requis)
— il n'y a pas d'accent écrit aux 1re et 3e personnes du singulier.

■ Attention à la modification orthographique que connaît « **hacer** » à la 3e personne du singulier : le « **c** » devient « **z** » devant le « **o** » pour conserver la prononciation interdentale.
Les subjonctifs imparfaits proviennent de la 3e personne du pluriel du passé simple.

■ **Querer** signifie « vouloir », mais suivi de la préposition « **a** » et d'un nom, il signifie « aimer ».
Quisiera, l'un des deux imparfaits du subjonctif, est très souvent utilisé à la place du conditionnel :
$$\text{quisiera} = \text{je voudrais.}$$

B 4 TRADUCTION

1. Qu'a-t-il fait alors? — Il n'a rien fait.
2. Et toi, qu'as-tu fait? — Que voulais-tu que je fasse?
3. Avez-vous fait (V. P.) votre possible? — Oui, nous avons fait tout notre possible.
4. Quand l'ont-ils fait, eux? — Ils l'ont fait quand ils l'ont voulu.
5. Avez-vous fait (T. P.) ce que vous vouliez? — Oui, merci, nous l'avons fait.
6. Tu as aimé cette fille, non? — Oui, je l'ai beaucoup aimé.
7. Vous n'avez pas voulu venir, n'est-ce-pas? — Non, je n'ai pas voulu venir.
8. Voulait-il que nous le fassions? — Oui, il voulait que vous le fassiez (T. P.).
9. Pourquoi n'a-il pas voulu que tu le défasses?
10. Je ne sais pas, mais il n'a pas voulu et je ne l'ai pas défait.
11. On ne pouvait pas concevoir que tu ne l'aimes pas.
12. Il ne me semblait pas utile que vous le fassiez (T. P.) ensemble.
13. Que tu le fasses ou le défasses, ça m'était égal.

1. Traduisez

a) J'ai tout fait
b) Tu les as toutes aimées
c) Il est venu chaque jour
d) Il a fait ce qu'il a voulu
e) Il t'a dit de le faire
f) Il a dit qu'il venait
g) Ils ont fait ce qu'elles ont dit.
h) Tu es venu et tu l'as dit
i) Vous l'avez voulu (T. P.).

2. Traduisez

a) J'ai voulu que vous le disiez et que vous le fassiez (V. P.).
b) Pourquoi ne lui as-tu pas dit de venir?
c) Que vouliez-vous (T. P.) qu'il fasse?
d) Je lui ai écrit de le faire le plus tôt possible.
e) Tu l'as voulu, tu l'as dit, tu l'as fait!
f) Que voulais-tu que je lui dise à ce moment-là?
g) Il ne voulait jamais que je vienne le voir.
h) Il a voulu que je le fasse, je l'ai fait!

C 2 INFORMATIONS PRATIQUES

Cómo llamar por teléfono

llamadas urbanas :

Deposite monedas de cinco pesetas.
Descuelgue y espere tono de marcar.
Marque el número deseado.

llamadas interurbanas :

Deposite monedas.
Descuelgue y espere tono de marcar.
Marque el código territorial de la provincia a la que dirija la llamada, y a continuación el número del abonado.
Cuando oiga un tono de aviso, dispondrá de diez segundos para introducir más monedas si desea prolongar la conversación.
Utilice monedas de 5, 25 y 50 pesetas.

1. Traduisez

a) Lo hice todo
b) Las quisiste todas
c) Vino cada día
d) Hizo él lo que quiso
e) Te dijo que lo hicieras

f) Dijo que venía
g) Ellos hicieron lo que ellas dijeron
h) Viniste y lo dijiste
g) Lo quisisteis

2. Traduisez

a) Quise que Uds lo dijesen y lo hiciesen.
b) ¿Por qué no le dijiste que viniera?
c) ¿Qué quisisteis que hiciera él?
d) Le escribí que lo hiciese él cuanto antes.
e) ¡Lo quisiste, lo dijiste, lo hiciste!
f) ¿Qué querías que le dijese en aquel momento?
g) Él no quería nunca que yo viniera a verle.
h) Él quiso que yo lo hiciese, ¡lo hice!

C 4 TRADUCTION

Comment téléphoner

communications urbaines :

Introduisez des pièces de 5 pesètes.
Décrochez et attendez la tonalité.
Composez le numéro souhaité.

communications interurbaines :

Introduisez des pièces.
Décrochez et attendez la tonalité.
Composez l'indicatif de la province où vous adressez votre appel et, ensuite, le numéro de l'abonné.
Quand vous entendrez un signal d'avertissement, vous disposerez de 10 secondes pour introduire de nouvelles pièces si vous désirez prolonger la conversation.
Utilisez des pièces de 5, 25 et 50 pesètes.

A 1 PRÉSENTATION

Passé simple et imparfaits du subjonctif irréguliers (V)

poner	*mettre*	**caber**	*tenir dans*
puse	*j'ai mis*	**cupe**	*j'ai tenu*
pusiste	*...*	**cupiste**	*...*
puso		**cupo**	
pusimos		**cupimos**	
pusisteis		**cupisteis**	
pusieron		**cupieron**	

pusiera	**pusiese**	**cupiera**	**cupiese**
pusieras	**pusieses**	**cupieras**	**cupieses**
...	*...*	*...*	*...*
que j'aie mis		*que j'aie tenu*	

la ayuda	l'aide	gritar	crier
el concierto	le concert	ponerse a	se mettre à
la duda	le doute	proponer	proposer
componer	composer	suponer	supposer
exponer	exposer	al corriente	au courant

A 2 APPLICATION

1. ¿Te puso él al corriente? — Sí, me puso al corriente.

2. Se opusieron Uds, ¿no? — No, no nos opusimos.

3. ¿Propusieron Uds su ayuda? — No, no propusimos nada.

4. ¿Cuándo se puso él a gritar? — Hace una hora, creo.

5. ¿No se opusieron ellas a que lo propusiéramos?

6. ¿No te opusiste a que expusiésemos nuestras ideas?

7. ¿Cupieron Uds en este coche? — No, no cupimos.

8. No cupo duda alguna : no quisieron venir.

9. ¿Expusisteis algo? — No, no expusimos nada.

10. ¿Quién compuso este concierto? — No sé. Creo que Albéniz.

11. No, lo compuso Rodrigo. Es el concierto de Aranjuez.

12. No fue posible que yo le pusiera al corriente.

13. No importaba que Ud supusiera algo.

A 3 REMARQUES

■ Les passés simples des verbes « **poner** » et « **caber** » sont irréguliers :
— la voyelle du radical **(o, a)** devient « **u** ».
— il n'y a pas d'accent écrit aux 1re et 3e personnes du singulier.
Les subjonctifs imparfaits proviennent de la 3e personne du puriel du passé simple et en héritent les irrégularités.

■ Tous les verbes de la même famille que « **poner** » se conjuguent, bien sûr, comme le verbe « **poner** » lui-même.

■ Attention au sens de « **caber** » : contenir, tenir dans, trouver place. Le verbe « **caber** » rentre également dans l'expression impersonnelle : il n'y a pas de doute = **no cabe duda.**

A 4 TRADUCTION

1. T'a-t-il mis au courant? — Oui, il m'a mis au courant.
2. Vous vous êtes opposés (T. P.), non? — Non, nous ne nous sommes pas opposés.
3. Avez-vous proposé (V.P.), votre aide? — Non, nous n'avons rien proposé.
4. Quand s'est-il mis à crier? — Il y a une heure, je crois.
5. Ne se sont-elles pas opposées à ce que nous le proposions?
6. Tu ne t'es pas opposé à ce que nous exposions nos idées?
7. Avez-vous tenu dans cette voiture? — Non, nous n'avons pas tenu.
8. Il n'y eut aucun doute : ils ne voulurent pas venir.
9. Avez-vous exposé (T. P.) quelque chose? — Non, nous n'avons rien exposé.
10. Qui a composé ce concerto? — Je ne sais pas. Je crois que c'est Albéniz.
11. Non, c'est Rodrigo qui l'a composé. C'est le concerto d'Aranjuez.
12. Il n'a pas été possible que je le mette au courant.
13. Il n'importait pas que vous supposiez quelque chose.

34 ■ Era útil que él lo supiera

B 1 PRÉSENTATION

Passé simple et imparfaits du subjonctif irréguliers (VI)

saber	*savoir*	**poder**	*pouvoir*
supe	*j'ai su*	**pude**	*j'ai pu*
supiste	...	**pudiste**	...
supo		**pudo**	
supimos		**pudimos**	
supisteis		**pudisteis**	
supieron		**pudieron**	

supiera	**supiese**	**pudiera**	**pudiese**
supieras	**supieses**	**pudieras**	**pudieses**
...	...	...	...
que j'aie su		*que j'aie pu*	

poder con	*pouvoir, venir à bout*
sacar	*sortir (quelque chose)*
en seguida	*tout de suite*
eso es	*c'est cela, d'accord*

B 2 APPLICATION

1. ¿Lo supiste en seguida? — Sí, lo supe en seguida.

2. ¿Cuándo lo supieron Uds? — Lo supimos cuando él lo dijo.

3. ¿No supisteis qué contestar? — Eso es, no supimos.

4. ¿Supo Ud algo del asunto? — No, no supe nada.

5. Lo supo él. Pero, ¿era útil? — Sí, era útil que lo supiera.

6. ¿No pudo Ud con ella? — Es verdad. No pude.

7. ¿Pudieron Uds verla? — Sí, pudimos verla.

8. ¿Pudisteis sacarle algo? — No pudimos sacarle nada.

9. Él no quiso que lo supiera yo. Pero lo supe.

10. No era posible que no lo pudiese ella.

11. Él no se oponía a que lo supieras tú.

12. No pudimos aceptar que él se pusiera a beber.

B 3 REMARQUES

■ Les passés simples des verbes « **saber** » et « **poder** » sont irréguliers :
— la voyelle du radical n'est plus la même (pensez qu'en français les mêmes verbes « savoir » et « pouvoir » ont aussi un « u » au radical du passé simple : je sus, je pus)
— il n'y a pas d'accent écrit aux 1er et 3e personnes du sing. Les deux subjonctifs imparfaits proviennent de la 3e personne du pluriel du passé simple.

■ Attention au passé simple de « **poder** » : ne le confondez pas avec celui de « **poner** » :

        poner : puse, etc.
        poder : pude, etc. Il conserve le « d » du radical.

■ Ne confondez pas « **sacar** » et « **salir** » :

        sacar, c'est sortir quelque chose de...
        salir, c'est sortir dans...

■ **Vous,** sans autre précision, correspond au **V.S.**

B 4 TRADUCTION

1. L'as-tu su tout de suite? — Oui, je l'ai su tout de suite.
2. Quand l'avez-vous (V. P.) su? — Nous l'avons su quand il l'a dit.
3. Vous n'avez pas su (T. P.) quoi répondre? — C'est cela. Nous n'avons pas su.
4. Avez-vous su quelque chose de l'affaire? — Non, je n'ai rien su.
5. Lui l'a su. Mais, était-ce utile? — Oui, c'était utile qu'il le sache.
6. Vous n'avez pas pu venir à bout d'elle? — C'est vrai. Je n'ai pas pu.
7. Avez-vous pu (V. P.) la voir? — Oui, nous avons pu la voir.
8. Avez-vous pu (T. P.) lui sortir quelque chose? — Nous n'avons rien pu lui sortir.
9. Il n'a pas voulu que je le sache, moi. Mais je l'ai su.
10. Il n'était pas possible qu'elle ne le puisse pas.
11. Il ne s'opposait pas à ce que toi, tu le saches.
12. Nous n'avons pas pu accepter qu'il se mette à boire.

1. Traduisez

a) Quand s'est-il mis à boire?
b) Il l'a su tout de suite
c) Vous n'avez pas pu
d) Tu as mis ta veste?
e) Il s'est opposé
f) Qu'avez-vous (T. P.) proposé?
g) Vous n'avez pas pu (T. P.)
h) Pourquoi l'ont-ils supposé
i) Elles ont pu le faire
j) Tu n'as pas pu la mettre

2. Traduisez

a) Il était inévitable qu'elle te mette au courant.
b) Je lui ai déjà dit de venir et de mettre cette veste.
c) Je ne voulais pas que vous le sachiez (V. P.) maintenant.
d) Il n'était pas possible que vous teniez (T. P.) tous dedans.
e) Il était souhaitable que vous puissiez le lui dire.
f) Je n'étais pas sûre que tu te mettes immédiatement à travailler.
g) Nous voulions qu'il n'y ait aucun doute sur nos intentions.

C 2 INFORMATIONS PRATIQUES

Unos consejos para circular mejor...

Ceda el paso		luz verde
Peligro. Obras	El semáforo :	luz amarilla
Cañada		luz roja

Las luces de un coche : las luces de posición
las luces de cruce
las luces de carretera

Carril para vehículos lentos
Prohibido girar a la izquierda
Prohibido girar a la derecha

Es obligatoria, en vías interurbanas, la utilización del cinturón de seguridad.

1. **Traduisez**

a) ¿Cuándo se puso él a beber?
b) Él lo supo en seguida
c) Ud no pudo
d) ¿Pusiste tu chaqueta?
e) Él se opuso
f) ¿Qué propusisteis?
g) No pudisteis
h) ¿Por qué ellos lo supusieron?
i) Ellas pudieron hacerlo
j) No pudiste ponerla

2. **Traduisez**

a) Era inevitable que ella te pusiera al corriente.
b) Ya le dije que viniera y que pusiese esta americana.
c) Yo no quería que Uds lo supiesen ahora.
d) No era posible que cupierais todos dentro.
e) Era deseable que Ud pudiera decírselo.
f) Yo no estaba segura de que te pusieses inmediatamente a trabajar.
g) Queríamos que no cupiera duda alguna sobre nuestras intenciones.

C 4 TRADUCTION

Quelques conseils pour mieux circuler...

	Feux de signalisation :
Vous n'avez pas la priorité	feu vert
Danger. Travaux	feu orange (jaune en espagnol)
Passage de bétail	feu rouge
Les lumières d'une voiture :	les veilleuses
	feux de croisement
	feux de route

Voie pour les véhicules lents.
Interdit de tourner à gauche.
Interdit de tourner à droite.

Il est obligatoire, sur les voies interurbaines, d'attacher les ceintures de sécurité.

A 1 PRÉSENTATION

Passé simple et imparfaits du subjonctif irréguliers (VII)

andar	*marcher*	**traer**	*apporter*
			amener
anduve	*j'ai marché*	**traje**	*j'ai amené*
anduviste	...	**trajiste**	...
anduvo		**trajo**	
anduvimos		**trajimos**	
anduvisteis		**trajisteis**	
anduvieron		**trajeron**	
anduviera	**anduviese**	**trajera**	**trajese**
anduvieras	**anduvieses**	**trajeras**	**trajeses**
...	...	...	...
que j'aie marché		*que j'aie amené*	

la lluvia	*la pluie*	algo	*quelque chose*
atraer	*attirer*	bastante	*assez*
distraerse	*se distraire*	mucho	*beaucoup*

A 2 APPLICATION

1. ¿Cuánto tiempo anduvo Ud? — Anduve tres horas.

2. ¿También él anduvo tres horas? — No, él anduvo menos.

3. ¿Cómo anduvieron ellos? — Anduvieron bastante bien.

4. ¿Qué le trajiste? — Le traje chocolate.

5. ¿Qué trajisteis? — No trajimos nada.

6. ¿Qué te atrajo en esta chica? — No sé, pero me atrajo algo.

7. Se distrajeron Uds, ¿verdad? — Sí, nos distrajimos mucho.

8. ¿Por qué anduviste tanto ayer?

9. No era agradable que anduviésemos tanto, con esta lluvia.

10. ¿Por qué querías que anduviera yo tanto?

11. ¿Qué queríais que os trajera yo?

12. No sabemos, pero ella no podía comprender que Ud no trajera nada.

A 3 REMARQUES

■ Les passés simples des verbes « **andar** » et « **traer** » sont irréguliers :
— la voyelle du radical n'est pas la même.
— il n'y a pas d'accent écrit aux 1re et 3e personnes du singulier. Les subjonctifs imparfaits proviennent de la 3e personne du pluriel du passé simple.

■ Attention à la 3e personne du pluriel du verbe « **traer** » : le « **j** » (jota) est suivi d'un « **e** » et non de « **ie** » : **trajeron**.

■ Il est bien évident que les verbes appartenant à la même famille que «**andar**» ou «**traer**» auront les mêmes irrégularités : « **me distraje** ».

A 4 TRADUCTION

1. Combien de temps avez-vous marché? — J'ai marché 3 heures.
2. Lui aussi a marché 3 heures? — Non, il a marché moins.
3. Comment ont-ils marché? — Ils ont assez bien marché.
4. Que lui as-tu apporté? — Je lui ai apporté du chocolat.
5. Qu'avez-vous apporté (T. P.)? — Nous n'avons rien apporté.
6. Qu'est-ce qui t'a attiré chez cette fille? — Je ne sais pas, mais quelque chose m'a attiré.
7. Vous vous êtes amusés (V. P.), n'est-ce pas? — Oui, nous nous sommes beaucoup amusés.
8. Pourquoi as-tu tant marché hier?
9. Il n'était pas agréable que nous marchions tant, avec cette pluie.
10. Pourquoi voulais-tu que je marche tant?
11. Que vouliez-vous (T. P.) que je vous apporte?
12. Nous ne savons pas, mais elle ne pouvait pas comprendre que vous n'apportiez rien.

B 1 PRÉSENTATION

Passé simple et imparfaits du subjonctif irréguliers (VIII)

ir	*aller*	**dar**	*donner*
fui	*je suis allé*	**di**	*j'ai donné*
fuiste	...	**diste**	...
fue		**dio**	
fuimos		**dimos**	
fuisteis		**disteis**	
fueron		**dieron**	

fuera	**fuese**	**diera**	**diese**
fueras	**fueses**	**dieras**	**dieses**
...	...	...	...
que je sois allé		*que j'aie donné*	

el cine	*le cinéma*	dar de	*donner à*
un desconocido	*un inconnu*	dar las gracias	*remercier*
la propina	*le pourboire*	dar pena	*faire de la peine*
un puñetazo	*un coup de poing*	ir de compras	*faire des courses*

B 2 APPLICATION

1. ¿Fuiste al cine? — No, fui al teatro.

2. ¿Fue Ud de compras? — Sí, fui de compras.

3. ¿Fueron Uds a Méjico? — No, fuimos a Caracas.

4. ¿Fueron Uds de vacaciones? — Sí, ya fuimos.

5. Y, ¿a dónde fueron? — Fuimos a Segovia.

6. ¿Qué le dio Ud? — Le di una propina.

7. Y me dio las gracias.

8. ¿Le disteis de comer? — Sí, se lo dimos.

9. Pero no quiso comer. Esto nos dio pena.

10. ¿Quién le dio un puñetazo? — Se lo dio un desconocido.

11. Me dio pena que fueseis a comer con él.

12. ¡Cómo! ¿Le dio pena? ¿No sabía Ud que éramos amigos?

13. Entonces, era normal que fuésemos a comer con él.

35 ■ Es-tu allé au cinéma?

B 3 REMARQUES

■ Les passés simples des verbes « **ir** » et « **dar** » sont irréguliers. Faites attention aux voyelles de terminaison du passé simple de **dar**.

Attention également au passé simple de « **ir** » puisque dans la forme il est identique à celui de « **ser** ».

Les deux subjonctifs imparfaits proviennent de la 3e personne du pluriel du passé simple.

■ Attention au verbe **dar** qui sert à constituer certaines locutions verbales. Parmi les plus fréquentes :

dar asco	dégoûter
dar gusto	faire plaisir
dar pena	faire de la peine

■ **Vous,** sans autre précision, correspond au **V. S.**

B 4 TRADUCTION

1. Es-tu allé au cinéma? — Non, je suis allé au théâtre.
2. Êtes-vous allé en course? — Oui, je suis allé en course.
3. Êtes-vous allés (V. P.) à Mexico? — Non, nous sommes allés à Caracas.
4. Êtes-vous allés (V. P.) en vacances? — Oui, nous y sommes déjà allés.
5. Et où êtes-vous allés? — Nous sommes allés à Ségovie.
6. Que lui avez-vous donné? — Je lui ai donné un pourboire.
7. Et il m'a remercié.
8. Lui avez-vous donné (T. P.) à manger? — Oui, nous lui avons donné.
9. Mais il n'a pas voulu manger. Et cela nous a fait de la peine.
10. Qui lui a donné un coup de poing? — C'est un inconnu qui le lui a donné.
11. Cela m'a fait de la peine que vous alliez (T. P.) manger avec lui.
12. Comment! Cela vous a fait de la peine? Ne saviez-vous pas que nous étions amis?
13. Alors, c'était normal que nous allions manger avec lui.

1. Traduisez

a) Tu le lui as donné

b) Je le leur ai apporté
c) Vous avez marché
d) Ils sont allés là-bas
e) Qu'avons-nous donné?

f) Pourquoi n'as-tu rien apporté?
g) Elle a marché des heures.
h) Elles lui ont tout donné.
i) Pourquoi y es-tu allé?
j) Pourquoi y êtes-vous allées?

2. Traduisez

a) Il n'était pas indispensable que vous y alliez (T. P.).
b) Je ne voulais pas que vous m'apportiez quelque chose.
c) Il ne m'a pas paru souhaitable qu'elle le lui donne.
d) Que nous le lui donnions ou pas, cela lui était égal.
e) Je n'ai jamais souhaité que vous y alliez (T. P.).
f) Il était normal que tu y ailles et que tu n'apportes rien.
g) Nous n'avons pas voulu que vous y alliez (V. P.).
h) Je ne croyais pas que vous vous amusiez encore à cela.

C 2 INFORMATIONS PRATIQUES

Lugares importantes de una ciudad

la catedral	el ayuntamiento
el claustro	la plaza mayor
el convento	el casco antiguo
el museo	el Rastro
la exposición	el bar
el cine	el restaurante
el teatro	la discoteca
el campo de deporte	el pabellón deportivo
la plaza de toros	el estadio
el supermercado	la tienda
correos	la telefónica

1. **Traduisez**

a) Se lo diste
b) Se lo traje
c) Ud anduvo
d) Ellos fueron allí
e) ¿Qué dimos?

f) ¿Por qué no trajiste nada?
g) Ella anduvo durante horas
h) Ellas le dieron todo
i) ¿Por qué fuiste allí?
j) ¿Por qué fuisteis allí?

2. **Traduisez**

a) No era indispensable que fuerais allí.
b) Yo no quería que Ud me trajese algo.
c) No me pareció deseable que ella se lo diera.
d) Que se lo diésemos o no, le daba igual.
e) No deseé nunca que fueseis allí.
f) Era normal que fueras allí y que no trajeras nada.
g) No quisimos que Uds fuesen allí.
h) Yo no creía que Ud se distrajera todavía con esto.

C 4 TRADUCTION

Lieux importants d'une ville

la cathédrale	la mairie
le cloître	la grand-place
le couvent	la vieille ville
le musée	le Marché aux puces (à Madrid)
l'exposition	le bar
le cinéma	le restaurant
le théâtre	la discothèque
le terrain de sports	la salle de sports
les arènes	le stade
le supermarché	la boutique
la poste	le téléphone

A 1 PRÉSENTATION

Changements vocaliques au passé simple

sentir : e/i	sentir, regretter	**dormir : o/u**	dormir
sentí	j'ai senti	**dormí**	j'ai dormi
sentiste		**dormiste**	
sintió	...	**durmió**	...
sentimos		**dormimos**	
sentisteis		**dormisteis**	
sintieron		**durmieron**	

el folleto	*la brochure*	divertirse	*se divertir*
la risa	*le rire*	herir	*blesser*
la tasca	*le bistrot*	hervir	*bouillir*
advertir	*prévenir, remarquer*	morir	*mourir*
		mentir	*mentir*
arrepentirse	*se repentir*	preferir	*préférer*
consentir	*consentir*	referirse	*se référer*
convertir	*convertir*	de buena gana	*volontiers*

A 2 APPLICATION

1. Me divertí mucho. Se divirtió mucho.
2. No mentimos nunca. No mintieron nunca.
3. Me dormí pronto. Se durmió pronto.
4. Nos morimos de risa. Se murieron de risa.
5. Lo sentí mucho. Lo sintió mucho.
6. Nos referimos al folleto. Se refirieron al folleto.
7. Prefiere el vino tinto. No creía que lo prefiriera.
8. Te advierto que miente. Desearía que no mintiera.
9. Le hiere mucho esta palabra. Era posible que esta palabra le hiriera.
10. El agua hierve. No era necesario que hirviera.
11. Lo consienten de buena gana. Me alegré de que lo consintieran de buena gana.
12. No se arrepienten. No era cierto que se arrepintieran.
13. Duermen cada día más. Les prohibí que durmieran tanto.
14. Convierten la tienda en tasca. Sentí que convirtieran esta tienda en tasca.

A 3 REMARQUES

■ Verbes du type **sentir**, sentir, regretter (p. 274). **Au passé simple le E du radical se change en I lorsqu'il n'y a pas de I accentué dans la terminaison.** On obtient donc le changement vocalique suivant dans le radical : **e, e, i, e, e, i.**
Pour **dormir** et **morir**, le o du radical **devient u dans les mêmes conditions** et l'on obtient le changement vocalique **o, o, u, o, o, u.**

■ La formation de l'imparfait du subjonctif est identique à celle des autres verbes (p. 176) :

> sintieron → **sintiera** ou sintiese
> durmieron → **durmiera** ou durmiese

■ Revoir les présents de **sentir et dormir** (p. 133).

■ « De plus en plus » se traduit en espagnol **cada día más, cada vez más** ou parfois **más y más.**

A 4 TRADUCTION

1. Je me suis beaucoup amusé. Il s'est beaucoup amusé.
2. Nous n'avons jamais menti. Ils n'ont jamais menti.
3. Je me suis vite endormi. Il s'est vite endormi.
4. Nous avons été morts de rire. Ils ont été morts de rire.
5. Je l'ai beaucoup regretté. Il l'a beaucoup regretté.
6. Nous nous sommes référés à la brochure. Ils se sont référés à la brochure.
7. Il préfère le vin rouge. Je ne croyais pas qu'il le préfère.
8. Je te fais remarquer qu'il ment. Je souhaiterais qu'il ne mente pas.
9. Ce mot le blesse beaucoup. Il était possible que ce mot le blesse.
10. L'eau bout. Il n'était pas nécessaire que l'eau bouille.
11. Ils y consentent volontiers. Je me suis réjoui qu'ils y consentent volontiers.
12. Ils ne se repentent pas. Il n'était pas sûr qu'ils se repentent.
13. Ils dorment de plus en plus. Je leur ai interdit de dormir autant.
14. Ils transforment la boutique en bistrot. J'ai regretté qu'ils transforment cette boutique en bistrot.

B 1 PRÉSENTATION

Changements vocaliques au passé simple

pedir : e/i *demander, commander*

pedí	*j'ai demandé*
pediste	...
pidió	
pedimos	
pedisteis	
pidieron	

Imp. du subj. **pidiera,... pidiese,...**

la falta	*la faute*	impedir	*empêcher*
el ladrón	*le voleur*	medir	*mesurer*
la ropa	*les vêtements*	perseguir	*poursuivre*
de prisa	*vite, en hâte*	reír	*rire*
corregir	*corriger*	reírse	*se moquer*
despedir	*renvoyer*	seguir	*suivre*
despedirse	*prendre congé*	servir	*servir*
elegir	*choisir*	vestir	*vêtir*

B 2 APPLICATION

1. Me despedí de ellos. Se despidió de ellos.
2. Sonreí al verlos. Sonrió al verlos.
3. Corregimos las faltas. Corrigieron las faltas.
4. Repetí el ejercicio. Repitió el ejercicio.
5. Perseguimos al ladrón. Persiguieron al ladrón.
6. Medimos la distancia. Midieron la distancia.
7. Expide los paquetes. Le pedí que los expidiera.
8. Impide eso. Le dije que lo impidiera.
9. Se visten de prisa. Hacía falta que se vistieran de prisa.
10. Despide a Esteban. Fue necesario que le despidiera.
11. Se ríe al oír eso. Le aconsejé que no se riera.
12. Sigue los consejos. Se los daba para que los siguiera.
13. Eligen las platos. Les dio el menú para que los eligieran.
14. Sirven la comida. Les rogamos que la sirvieran.

B 3 REMARQUES

■ Le passé simple de l'indicatif et les imparfaits du subjonctif des verbes du type **pedir** se forment avec **les mêmes changements vocaliques** que ceux des verbes du type **sentir**.

■ Revoir les présents de **pedir** (p. 138).

■ Attention à la traduction de :

reír	rire	et **reírse**	se moquer
despedir	renvoyer	et **despedirse**	prendre congé

■ L'infinitif espagnol précédé de **al** se traduit par :
— quand + un verbe à un mode personnel
al acercarse a casa = quand il s'est approché de ...
— ou par en + gérondif
al llegar a casa = en arrivant à la maison

■ Attention **en + gérondif espagnol** se traduit par dès que, aussitôt que :
en llegando a casa = dès qu'il est arrivé à ...

B 4 TRADUCTION

1. J'ai pris congé d'eux. Il a pris congé d'eux.
2. J'ai souri en les voyant. Il a souri en les voyant.
3. Nous avons corrigé les fautes. Ils ont corrigé ...
4. J'ai recommencé l'exercice. Il a recommencé ...
5. Nous avons poursuivi le voleur. Ils ont poursuivi ...
6. Nous avons mesuré la distance. Ils ont mesuré ...
7. Il expédie les paquets. Je lui ai demandé de les expédier.
8. Il empêche cela. Je lui ai dit de l'empêcher.
9. Ils s'habillent en hâte. Il fallait qu'ils s'habillent en hâte.
10. Il renvoie Étienne. Il a été nécessaire qu'il le renvoie.
11. Il se moque en entendant cela. Je lui ai conseillé de ne pas se moquer.
12. Il suit les conseils. Je les lui donnais pour qu'il les suive.
13. Ils choisissent les plats. Il leur a donné le menu pour qu'ils les choisissent.
14. Ils servent le repas. Nous les avons priés de le servir.

1. Mettre au passé simple

Se divierten mucho	Se despide de ella
Duerme demasiado	Miden la distancia
Prefieren salir	Expide la carta
Miente siempre	Sirven la cerveza

2. Répondre affirmativement

Te moriste de risa. ¿Y ellos?
Me referí al programa. ¿Y él?
Os vestisteis de prisa. ¿Y ellas?
Se rió demasiado. ¿Y Ud?
Dormiste mucho. ¿Y ella?
Repetí el ejercicio. ¿Y Uds?

3. Traduire en employant le passé simple

Nous avons pris congé de nos amis.
Il s'est moqué d'eux en les entendant.
Il l'a beaucoup regretté.
Elle s'est repentie en le voyant.
Ils se sont de plus en plus amusés.
Je lui ai dit de la renvoyer.
Je n'ai jamais cru qu'il corrige ses fautes.
Il était nécessaire que l'eau bouille.
Il fallait qu'il dorme.
Je ne voulais pas qu'il se blesse.

C 2 INFORMATIONS PRATIQUES

En la playa

la arena	nadar
el bañador	las olas
la barca	playa vigilada
la boya	prohibido bañarse
broncear	la quemadura
el buceo	el quitasol
colchón neumático	el sol
corriente peligrosa	la tumbona
esquí acuático	el velero
el flotador	el vigilante
marea alta/baja	zambullirse

1. Mettre au passé simple

Se divirtieron mucho
Durmió demasiado
Prefirieron salir
Mintió siempre

Se despidió de ella
Midieron la distancia
Expidió la carta
Sirvieron la cerveza

2. Répondre affirmativement

Se murieron de risa.
Se refirió al programa.
Se vistieron de prisa.
Me reí demasiado.
Durmió mucho.
Repetimos el ejercicio.

3. Traduire en employant le passé simple

Nos despedimos de nuestros amigos.
Se rió de ellos al oírlos.
Lo sintió mucho.
Se arrepintió al verlos.
Se divirtieron cada vez más.
Le dije que la despidiera.
No creí nunca (o nunca creí) que corrigiera sus faltas.
Era necesario que el agua hirviera.
Hacía falta que durmiera.
No quería que se hiriera.

C 4 TRADUCTION

Sur la plage

le sable
le maillot de bain
la barque
la balise
bronzer
la plongée
matelas pneumatique
courant dangereux
ski nautique
la bouée
marée haute/basse

nager
les vagues
plage surveillée
interdit de se baigner
le coup de soleil
le parasol
le soleil
le transat
le voilier
le surveillant
plonger

A 1 PRÉSENTATION

Impératif et pronoms enclitiques

presentarse	V S.	preséntese	no se presente
volverse (ue)	V P.	vuélvanse	no se vuelvan
sentarse (ie)	1 p.	sentémonos	no nos sentemos
defenderse (ie)	T S.	defiéndete	no te defiendas
decidirse	T P.	decidíos	no os decidáis

la camisa	*la chemise*	levantarse	*se lever*
el mueble	*le meuble*	llevarse	*emporter*
acostarse (ue)	*se coucher*	meterse	*se mêler*
arreglar	*réparer*	mover (ue)	*remuer*
defender	*défendre*	recomendar (ie)	*recommander*
devolver	*rendre*	sentarse (ie)	*s'asseoir*
equivocarse	*se tromper*	volverse (ue)	*se retourner*
			devenir

A 2 PRÉSENTATION

1. Levántese más temprano. No se levante tan temprano.
2. Equivóquense. No se equivoquen Uds.
3. Quedémonos en esta ciudad. No nos quedemos aquí.
4. Acuéstate temprano. No te acuestes temprano.
5. Sentaos allí. No os sentéis allí.
6. No se despida Ud ahora. Despídase Ud ahora.
7. No se decidan Uds tan pronto. Decidanse pronto.
8. No nos divirtamos. Divirtámonos.
9. No te metas en mis cosas. Métete en tus cosas.
10. No os durmáis tan pronto. Dormíos pronto.
11. Tiene Ud que devolverme el libro. Devuélvamelo.
12. Tienen Uds que llevarse esas camisas. Llévenselas.
13. Tenemos que mover estos muebles. Movámoslos.
14. Tienes que arreglar mi bicicleta. Arréglamela.
15. Tenéis que recomendarle un hotel. Recomendádselo.

A 3 REMARQUES

■ Revoir la formation de l'impératif (p. 284).

■ Les pronoms réfléchis : **me, te, se, nos, os, se.**

■ **L'enclise**, c'est-à-dire le rejet du (ou des) pronom(s) personnel(s) complément(s) après le verbe pour ne plus former qu'un seul mot avec lui, se fait en espagnol **à l'infinitif, au gérondif et à l'impératif forme affirmative.** Dans la phrase impérative négative le (ou les) pronom(s) reste(nt) avant le verbe.
Ex. : **preséntemela** = Présentez-la moi
    no me la presente = Ne me la présentez pas

■ Le **d** final des formes **presentad, defended** et **decidid** et le **s** final des formes **presentemos, defendamos** et **decidamos** disparaissent respectivement devant les pronoms **os** et **nos: presentaos, presentémonos; defendeos, defendámonos; decidíos, decidámonos.**

■ Attention à **l'accent écrit** (p. 254).

A 4 TRADUCTION

1. Levez-vous plus tôt. Ne vous levez pas si tôt.

2. Trompez-vous. Ne vous trompez pas (V. P.).

3. Restons dans cette ville. Ne restons pas ici.

4. Couche-toi tôt. Ne te couche pas de bonne heure.

5. Asseyez-vous là. Ne vous asseyez pas là (T. P.).

6. Ne prenez pas congé maintenant. Prenez congé maintenant.

7. Ne vous décidez pas si vite. Décidez-vous vite (V. P.).

8. Ne nous amusons pas. Amusons-nous.

9. Ne te mêle pas de mes affaires. Mêle-toi de tes affaires.

10. Ne vous endormez pas si vite. Endormez-vous vite.

11. Vous devez me rendre le livre. Rendez-le-moi.

12. Vous devez emporter ces chemises. Emportez-les (V. P.).

13. Nous devons déplacer ces meubles. Déplaçons-les.

14. Tu dois réparer ma bicyclette. Arrange-la-moi.

15. Vous devez lui recommander un hôtel. Recommandez-le-lui (T. P.).

B 1 PRÉSENTATION

Impératifs irréguliers

irse	s'en aller	**V. S.**	**váyase**	**no se vaya**
		V. P.	**váyanse**	**no se vayan**
		1. p.	**vámonos**	**no nos vayamos**
		T. S.	**vete**	**no te vayas**
		T. P.	**idos**	**no os vayáis**

la bufanda	*le foulard*	África	*l'Afrique*
las gafas	*les lunettes*	Argelia	*l'Algérie*
los negocios	*les affaires*	Bélgica	*la Belgique*
el puerto	*le port, le col*	El Canadá	*le Canada*
el sitio	*l'endroit*	Luxemburgo	*Luxembourg*
antes de	*avant de*	Marruecos	*Le Maroc*
prudente	*prudent*	Suiza	*La Suisse*

B 2 APPLICATION

1. Tienes que hacer este negocio. Hazlo.
2. Tienes que decirnos la verdad. Dínosla.
3. Tienes que ponerte tus gafas. Póntelas.
4. Tienes que salir antes de las tres. Sal antes.
5. Tienes que venir conmigo a África. Ven conmigo.
6. Tienes que irte con él a Haití. Vete con él.
7. No te pongas esta bufanda. Póntela.
8. No seas tan prudente. Sé más prudente.
9. No te valgas de este tenedor. Valte de esta cuchara.
10. No te detengas en el puerto. Détente más lejos.
11. No nos vayamos de este sitio. Vámonos de aquí.
12. No me lo digas. Dímelo.
13. Váyase a Bélgica. Váyanse a Argelia.
14. Vete a Suiza. Idos a Marruecos.
15. Vámonos al Canadá. No nos vayamos de Luxemburgo.

B 3 REMARQUES

■ En dehors de la 1re personne du pluriel du verbe **ir, vamos** au lieu de **vayamos** les seules irrégularités dans la formation de l'impératif ne concernent que **le tutoiement singulier affirmatif** des verbes suivants :

decir dire	...... **di**	ser être	....	**sé**
hacer faire	.. **haz**	tener avoir	....	**ten**
ir aller	.... **ve**	venir venir	....	**ven**
poner mettre	... **pon**	valerse se servir	.....	**valte**
salir sortir	..... **sal**			

■ **idos:** maintien exceptionnel du **d** final devant **os** (p. 229).
■ Pour maintenir l'accentuation normale du verbe après enclise, il faut **écrire l'accent** tonique sur la voyelle qui était auparavant accentuée à chaque fois que cela est nécessaire **presenta + te = preséntate** (p. 284).
■ **conmigo** = avec moi ;   **contigo** = avec toi ;
   consigo = avec lui (soi).

B 4 TRADUCTION

1. Tu dois faire cette affaire. Fais-la.
2. Tu dois nous dire la vérité. Dis-la nous.
3. Tu dois mettre tes lunettes. Mets-les.
4. Tu dois partir avant trois heures. Pars avant.
5. Tu dois venir avec moi en Afrique. Viens avec moi.
6. Tu dois t'en aller avec lui à Haiti. Va-t-en avec lui.
7. Ne te mets pas ce foulard. Mets-le toi.
8. Ne sois pas aussi prudent. Sois plus prudent.
9. Ne te sers pas de cette fourchette. Sers-toi de cette cuiller.
10. Ne t'arrête pas dans le col. Arrête-toi plus loin.
11. Ne partons pas de cet endroit. Partons d'ici.
12. Ne me le dis pas. Dis-le moi.
13. Partez en Belgique. Partez en Algérie (V. P.).
14. Pars en Suisse. Partez au Maroc (T. P.).
15. Partons au Canada. Ne partons pas du Luxembourg.

1. Mettre à la forme affirmative

No nos los llevemos
No se acuesten ahora
No se siente aquí
No te decidas
No os quedéis allí

No nos vayamos de aquí
No se detengan allí
No se ponga estas gafas
No te vayas allí
No os vayáis del pueblo

2. Mettre à la forme négative

Duérmase
Muévanlos
Llevémonosla
Métete en tus cosas
Devolvédnosla

Házmelo
Idos
Díselo
Póntelas
Vámonos

3. Traduire

Prenons congé maintenant et partons.
Couche-toi et lève-toi plus tôt.
Restez ici et asseyez-vous (V. P.).
Emportez ce livre et rendez-le moi bientôt.
Mêlez-vous de vos affaires (T. P.).
Décidons-nous et arrêtons-nous ici.
Sers-toi de ce couteau (cuchillo) et fais attention.

C 2 INFORMATIONS PRATIQUES

¡Qué aproveche!

¿Cómo le gusta a Ud el bistec (o el filete)?
— Apenas pasado (poco hecho, medio crudo).
— Regular (en su punto).
— Bien pasado (muy hecho).

¿Qué vino prefiere?
¿Tinto, rosé (clarete) o blanco?
¿Dulce o seco?

¿Quiere Ud agua mineral con gas o sin gas?
— Quisiéramos una gaseosa, una limonada y una caña de cerveza.

No tengo mucha hambre. Me conformaré con unas tapas y un chato de tinto.
¿Me da Ud mostaza, por favor?
¿Hay mayonesa?

1. Mettre à la forme affirmative

Llevémonoslos
Acuéstense ahora
Siéntese aquí
Decídete
Quedaos allí

Vámonos de aquí
Deténganse allí
Póngase estas gafas
Vete allí
Idos del pueblo

2. Mettre à la forme négative

No se duerma
No los muevan
No nos la llevemos
No te metas en mis cosas
No nos la devolváis

No me lo hagas
No os vayáis
No se lo digas
No te las pongas
No nos vayamos

3. Traduire

Despidámonos ahora y vámonos.
Acuéstate y levántate más temprano.
Quédense aquí y siéntense.
Llévese este libro y devuélvamelo pronto.
Meteos en vuestras cosas.
Decidámonos y detengámonos aquí.
Valte de este cuchillo y ten cuidado.

C 4 TRADUCTION

Bon appétit

Comment aimez-vous le bifteck (ou le filet)?
— Saignant.
— A point.
— Bien cuit.

Quel vin préférez-vous?
Rouge, rosé ou blanc?
Doux ou sec?

Voulez-vous de l'eau minérale gazeuse ou non gazeuse?
— Nous voudrions une limonade, une citronnade et un demi
(de bière).

Je n'ai pas très faim. Je me contenterai de quelques amuse-
gueule et d'un petit verre de vin rouge.

Vous me donnez de la moutarde, s'il vous plaît?
Y a-t-il de la mayonnaise?

A 1 PRÉSENTATION

(quand + futur = **cuando** + **presente de subjonctivo**
(sauf après **¿cuándo?** interrogatif)

¿Cuándo vendrá Paco? — Vendrá cuando tenga dinero

Si (condition ou hypothèse) =   **Si**
+ Imparfait de l'indicatif   **+ Imperfecto de subjuntivo**

Si Paco tuviera dinero, vendría

la carrera	*les études*	tan pronto como	*aussitôt que*
	carrière, course	buscar	*chercher*
el empleo	*l'emploi*	llamar por	
la flor	*la fleur*	teléfono	*téléphoner*
el sol	*le soleil*	llover (ue)	*pleuvoir*
en cuanto	*dès que*	regar	*arroser*
mientras	*tant que*	terminar	*terminer*

A 2 APPLICATION

1. Termino la carrera y busco un empleo.
2. Cuando termine la carrera, buscaré un empleo.
3. Si terminara la carrera, buscaría un empleo.
4. Sé el español y voy a Argentina.
5. Cuando sepa el español, iré a Argentina.
6. Si supiera el español, iría a Argentina.
7. Hace sol y podemos ir a bañarnos.
8. En cuanto haga sol, podremos ir a bañarnos.
9. Si hiciera sol, podríamos ir a bañarnos.
10. No llueve y tiene Ud que regar las flores.
11. Mientras no llueva, Ud tendrá que regar las flores.
12. Si lloviera, Ud no tendría que regar las flores.
13. La veo y le llamo por teléfono.
14. Tan pronto como la vea, le llamaré por teléfono.
15. Si la viera, le llamaría por teléfono.

A 3 REMARQUES

■ Après **cuando,** quand, **mientras,** tant que, **en cuanto,** dès que, **tan pronto como,** aussitôt que, et toutes les expressions de temps qui introduisent un futur incertain, le futur français est remplacé par **le présent du subjonctif en espagnol.** Bien entendu le verbe de la proposition principale reste au futur. **¿Cuándo?** interrogatif nécessite le futur de l'indicatif.

■ Après si, **marquant une condition ou une hypothèse,** l'imparfait de l'indicatif français est remplacé par **l'imparfait du subjonctif en espagnol.** Dans ce cas la proposition principale comporte un conditionnel exprimé ou sous-entendu :

si tuviera dinero iría al Perú = j'irais au Pérou si j'avais de l'argent.

A 4 TRADUCTION

1. Je termine mes études et je cherche un emploi.

2. Quand je terminerai mes études, je chercherai un emploi.

3. Si je terminais mes études, je chercherais un emploi.

4. Je sais l'espagnol et je vais en Argentine.

5. Quand je saurai l'espagnol, j'irai en Argentine.

6. Si je savais l'espagnol, j'irais en Argentine.

7. Il fait soleil et nous pouvons aller nous baigner.

8. Dès qu'il fera soleil nous pourrons aller nous baigner.

9. S'il faisait soleil, nous pourrions aller nous baigner.

10. Il ne pleut pas et vous devez arroser les fleurs.

11. Tant qu'il ne pleuvra pas vous devrez arroser les fleurs.

12. S'il pleuvait vous n'auriez pas à arroser les fleurs.

13. Je la vois et je vous téléphone.

14. Aussitôt que je la verrai, je vous téléphonerai.

15. Si je la voyais, je vous téléphonerais.

B 1 PRÉSENTATION

aunque + indicatif	*bien que (certitude)*
aunque + subjonctif	*même si (supposition)*
aunque hace mal tiempo...	*bien qu'il fasse...*
aunque haga mal tiempo...	*même s'il fait...*
siempre que + indicatif	*toutes les fois que...*
siempre que + subjonctif	*pourvu que...*

el extranjero	*l'étranger*	pasearse	*se promener*
la llave	*la clef*	pintar	*peindre*
la rebaja	*le rabais*	viajar	*voyager*
al contado	*au comptant*	acaso	
casarse	*se marier*	a lo mejor	
enfadarse	*se fâcher*	quizá(s)	*peut-être*
pagar	*payer*	tal vez	
		con tal que	*pourvu que*

B 2 PRÉSENTATION

1. Aunque les digo la verdad, se enfadan.
2. Aunque les diga la verdad, se enfadan.
3. Aunque tenía un pasaporte no viajaba al extranjero.
4. Aunque tuviera un pasaporte no viajaría al extranjero.
5. Le hacen una rebaja siempre que paga al contado.
6. Le hacen una rebaja siempre que pague al contado.
7. Salía a pasearse siempre que podía.
8. Saldría a pasearse siempre que pudiera.
9. Esta mesa será bonita con tal que la pintes.
10. Esta mesa sería bonita con tal que la pintaras.
11. ¿Acaso tienes la llave?
12. — No, quizá la tenga el portero.
13. Tal vez se case este año.
14. Se casará este año a lo mejor.

B 3 REMARQUES

■ **Aunque + indicatif** se traduit en français par « bien que » + subjonctif.

Aunque + subjonctif se traduit en français par « même si » + indicatif.

Remarquez que l'emploi de l'indicatif et du subjonctif est dans ce cas, en espagnol, à l'inverse du français.

■ **Siempre que + ind.** se traduit par « chaque fois que » « toutes les fois que » et **siempre que + subj.** se traduit par « pourvu que », « si toutefois ». **Con tal que** « pourvu que » est également suivi du subjonctif.

■ **Tal vez, quizá (quizás), acaso,** peut-être, sont généralement placés après un verbe à l'indicatif. L'aspect de doute peut être renforcé en les plaçant devant un verbe au subjonctif (ou bien au futur ou au conditionnel) :

Quizá tengas razón, peut-être as-tu raison.

Dans une phrase interrogative, **acaso** peut avoir le sens de par hasard : **¿Acaso lo sabes?** le sais-tu par hasard?

B 4 TRADUCTION

1. Bien que je leur dise la vérité, ils se fâchent.

2. Même si je leur dis la vérité, ils se fâchent.

3. Bien qu'il ait un passeport, il ne voyageait pas à l'étranger.

4. Même s'il avait un passeport, il ne voyagerait pas...

5. On lui fait un rabais chaque fois qu'il paie au comptant.

6. On lui fait un rabais à condition qu'il paie au comptant.

7. Il sortait se promener à chaque fois qu'il le pouvait.

8. Il sortirait se promener pourvu qu'il le puisse.

9. Cette table sera jolie si toutefois tu la peins.

10. Cette table serait jolie à condition que tu la peignes.

11. As-tu la clef par hasard?

12. — Non, peut-être que le portier l'aura.

13. Peut-être se mariera-t-il cette année.

14. Il se mariera peut-être cette année.

1. Faire une seule phrase en la commençant avec cuando

Terminaré la carrera. Iré a Bolivia.
Lloverá. No iremos a la playa.
Hará buen tiempo. Te llamaré por teléfono.
Tendré mi pasaporte. Viajaré.

2. Faire une seule phrase en la commençant avec si

Les diría la verdad. Se enfadarían.
Haría sol. Saldría a pasearme.
Pagarían al contado. Tendrían una rebaja.
Llovería. No iría al campo.

3. Traduire

Bien qu'il ne sache pas l'espagnol, il va en Argentine.
Même si je ne le savais pas, j'irais aussi.
Il partira dès qu'il aura son passeport.
S'il leur disait la vérité, ils se fâcheraient.
Vous devrez arroser tant qu'il ne pleuvra pas.
Pourvu qu'il vienne, nous irons nous baigner.
Aussitôt qu'ils le pourront, ils se marieront.
Peut-être sortirons-nous nous promener.
Ils nous feront peut-être un rabais.

C 2 INFORMATIONS PRATIQUES

Los espectáculos

Quisiera ver la cartelera de espectáculos por favor.
¿Dónde ponen esta película (del oeste)?
¿Hay sesión continua en este cine?
¿Qué ponen en el teatro esta noche?
¿A qué hora empieza la función?
Quisiera reservar tres localidades para el concierto.
¿Quedan butacas de platea.
Déme un programa, por favor.
¿Puede Ud recomendarme una discoteca o una buena sala de fiestas?
Hemos reservado una mesa en un « tablao ».
¿Les gustaría ir a los toros mañana?
Haga el favor de decirme a que hora empieza la corrida.

1. Faire une seule phrase en la commençant avec cuando

Cuando termine la carrera, iré a Bolivia.
Cuando llueva, no iremos a la playa.
Cuando haga buen tiempo, te llamaré por teléfono.
Cuando tenga mi pasaporte, viajaré.

2. Faire une seule phrase en la commençant avec si

Si les dijera la verdad, se enfadarían.
Si hiciera sol, saldría a pasearme.
Si pagaran al contado, tendrían una rebaja.
Si lloviera, no iría al campo.

3. Traduire

Aunque no sabe el español, va a Argentina.
Aunque no lo supiera, iría también.
Se marchará en cuanto tenga su pasaporte.
Si les dijera la verdad, se enfadarían.
Ud tendrá que regar mientras no llueva.
Con tal que (siempre que) venga, iremos a bañarnos.
Tan pronto como puedan, se casarán.
Quizás salgamos a pasearnos (o acaso, tal vez, ...)
Nos harán una rebaja a lo mejor. (o quizás, ...)

C 4 TRADUCTION

Les spectacles

Je voudrais voir le guide des spectacles s'il vous plaît.
Où joue-t-on ce film (western)?
Est-ce un cinéma permanent?
Que donne-t-on au théâtre ce soir?
A quelle heure commence la séance?
Je voudrais réserver trois places pour le concert.
Reste-t-il des fauteuils d'orchestre?
Donnez-moi un programme, s'il vous plaît.
Pouvez-vous me recommander une discothèque ou un bon cabaret?
Nous avons réservé une table dans un cabaret de folklore « flamenco ».
Aimeriez-vous voir une course de taureaux demain?
Soyez aimable de me dire à quelle heure commence la corrida.

A 1 PRÉSENTATION

Passé simple irrégulier : verbes en -**ducir**

conducir	*conduire*	**conduje**
		condujiste
		condujo
		condujimos
		condujisteis
		condujeron
imparfaits du subj.		**condujera, ..., condujese,...**

comparatifs	**más ... que**	*plus ... que*
	menos ... que	*moins ... que*
	tan ... como	*aussi ... que*

los gastos	*frais, dépenses*	tampoco	*non plus*
los negocios	*les affaires*	introducir	*introduire*
cuidadosamente	*soigneusement*	producir	*produire*
despacio	*lentement*	reducir	*réduire*
rápidamente	*rapidement*	traducir	*traduire*

A 2 APPLICATION

1. Conduce el coche. Lo conduje también.
2. Traduzco el texto. Ramón lo tradujo también.
3. No reducimos los gastos. No los redujeron tampoco.
4. No reducen el horario. No lo redujimos tampoco.
5. Hizo falta que introdujeran cambios.
6. Hace falta que los introduzcamos también.
7. No conduzca Ud tan rápidamente, por favor.
8. — Ya reduje la velocidad.
9. Conduzco más despacio que antes.
10. — Ayer condujo Ud menos rápidamente que hoy.
11. — Sí, pero hoy conduzco tan cuidadosamente como ayer.
12. ¿Qué sabe Ud de la producción de la fábrica?
13. — Era necesario que la fábrica produjera más y produce más. Es posible que produzca más todavía el año próximo.

A 3 REMARQUES

■ Revoir les présents des verbes en -ducir (p. 274).
Pr. indicatif : **conduzco, conduces, conduce**, etc.
Pr. subjonctif : **conduzca, conduzcas, conduzca**, etc.
Ces verbes comportent une autre irrégularité au passé simple, **conduje**, et aux deux imparfaits du subjonctifs **condujera** et **condujese**.

■ Les comparatifs des adjectifs et des adverbes
Supériorité : **más** (alto) **que** = plus (grand) que
Infériorité : **menos** (alto) **que** = moins (grand) que
Égalité... : **tan** (bajo) **como** = aussi (petit) que.

■ **Formation des adverbes avec le suffixe -mente.**
Forme féminine de l'adjectif + -mente :
rápido, rapide   **rápidamente,** rapidement.
lento, lent   **lentamente,** lentement.

■ Dans une série d'adverbes consécutifs, seul le dernier se termine par -mente : **lenta y cuidadosamente,** lentement et soigneusement.

A 4 TRADUCTION

1. Il conduit la voiture. Je l'ai conduite aussi.
2. Je traduis le texte. Raymond l'a traduit aussi.
3. Nous ne réduisons pas les frais. Ils ne les ont pas réduits non plus.
4. Ils ne réduisent pas l'horaire. Nous ne l'avons pas réduit non plus.
5. Il a fallu qu'ils introduisent des changements.
6. Il faut que nous les introduisions aussi.
7. Ne conduisez pas aussi rapidement, s'il vous plaît.
8. J'ai déjà réduit la vitesse.
9. Je conduis plus lentement qu'auparavant.
10. — Hier vous avez conduit moins rapidement qu'aujourd'hui.
11. — Oui, mais aujourd'hui je conduis aussi soigneusement qu'hier.
12. Que savez-vous de la production de l'usine?
13. — Il était nécessaire que l'usine produise plus et elle produit plus. Il est possible qu'elle produise encore plus l'année prochaine.

B 1 PRÉSENTATION

Verbes en -**uir** : **construir,** construire.

Présent indicatif	**construyo**	Passé simple	**construí**
	construyes		**construiste**
	construye		**construyó**
	construimos		**construimos**
	construís		**construisteis**
	construyen		**construyeron**

Présent subjonctif	**construya,...**	Imparfaits, subjonctif	**construyera,...**
			construyese,...

el país	le pays	destruir	détruire
el ruido	le bruit	contribuir	contribuer
la seguridad	la sécurité	distribuir	distribuer
la sociedad	la société	disminuir	diminuer
el socio	l'associé	excluir	exclure
así	ainsi	huir	fuir
constituir	constituer	incluir	inclure

B 2 APPLICATION

1. El año pasado constituyeron una nueva sociedad.
2. Incluyeron mi nombre en la lista de los socios.
3. Este año constituyen otra sociedad.
4. Ya no me excluyen de la lista de los socios.
5. Conduzca más despacio. Disminuya la velocidad.
6. Hace falta que Ud conduzca más despacio y así contribuya a la seguridad de todos.
7. Construyen tantas casas nuevas como en otros países.
8. Construyeron más casas nuevas que el año pasado.
9. Destruyeron menos casas antiguas que antes.
10. Haría falta que las distribuyeran a los pobres.
11. Huyo de los ruidos de la gran ciudad.
12. — Ojalá yo huya también de estos ruidos.
13. Huyó de los ruidos de la capital.
14. — Ojalá yo huyera también de estos ruidos.

B 3 REMARQUES

■ Le **i** de la terminaison des **verbes en -uir** (type **construir**) devient **y** à chaque fois qu'il n'est pas accentué et qu'il se trouve entre deux voyelles. Cette modification se présente aux présents de l'ind. et du subj., au passé simple, et aux imparfaits du subj.

■ Accompagnant un nom « autant que » se traduit **tanto, a, os, as, ... como** : ... **tantas casas como...**, ... autant de maisons que ...

■ Traduction de « ne ... plus » : **ya no** + verbe.
Ya no juega, il ne joue plus.

■ Apocope : perte d'une ou plusieurs lettres à la fin d'un mot.
Grande devient **gran** (256) devant un nom masculin ou féminin. (Autres apocopes p. 256).

■ **Ojalá** + **présent du subj.** : pourvu que, plaise à Dieu :
ojalá venga, pourvu qu'il vienne. **Ojalá** + **imparfait du subj.** =
si seulement : **ojalá viniera,** si seulement il venait.

B 4 TRADUCTION

1. L'année dernière ils ont constitué une nouvelle société.
2. Ils ont inclus mon nom sur la liste des associés.
3. Cette année, ils ont constitué une autre société.
4. Ils ne m'excluent plus de la liste des associés.
5. Conduisez plus lentement. Diminuez la vitesse.
6. Il faut que vous conduisiez plus lentement et qu'ainsi vous contribuiez à la sécurité de tous.
7. Ils construisent autant de maisons nouvelles que dans d'autres pays.
8. Ils ont construit plus de maisons nouvelles que l'année dernière.
9. Ils ont détruit moins de maisons anciennes qu'auparavant.
10. Il faudrait qu'ils les distribuent aux pauvres.
11. Je fuis les bruits de la grande ville.
12. — Pourvu que je fuie aussi ces bruits. (Plaise au ciel...).
13. Il a fui les bruits de la capitale.
14. — Si seulement je fuyais aussi ces bruits.

1. Mettre au passé simple

Traduzco esta novela con el diccionario.
Reducimos los gastos de la sociedad.
Producen menos que el año anterior.
Conduces más despacio que antes.
Contribuyen a la construcción de esas casas.
Disminuimos los gastos de la fábrica.
Constituyo una colección de libros de arte.
Lo incluyen todo en el precio.

2. Traduire

Je conduis plus lentement qu'auparavant.
J'ai déjà conduit plus rapidement (más de prisa).
Il fallait que je réduise ma vitesse.
Il est nécessaire de contribuer à la sécurité de tous .
Nous constituons une nouvelle société.
Il faudrait que nous construisions autant de maisons qu'avant.
Il faut aussi que nous réduisions nos frais.
Cette usine n'a pas produit autant que l'année dernière.
Nous n'avons pas réduit les frais non plus.
Il a fui la cohue (el barullo) de la grande ville.
Si seulement je fuyais aussi tous ces ennuis (dificultades).

C 2 INFORMATIONS PRATIQUES

Los deportes

¿Hay algún partido hoy?

de balonmano	de fútbol (de balompié)
de baloncesto	de rugby
de balonvolea	de tenis

¿Quiénes juegan? ¿A qué hora empieza?

¿Podemos alquilar raquetas? Tengo las pelotas.
¿Dónde está la cancha? Prefiero jugar al ping pong.

Otros deportes : atletismo, boxeo, ciclismo, esgrima, esquí, golf, hipismo, hockey, montañismo, motorismo, natación, pelota, carreras de automóviles, etc.

1. Mettre au passé simple

Traduje esta novela con el diccionario.
Redujimos los gastos de la sociedad.
Produjeron menos que el año anterior.
Condujiste más despacio que antes.
Contribuyeron a la construcción de esas casas.
Disminuimos los gastos de la fábrica.
Constituí una colección de libros de arte.
Lo incluyeron todo en el precio.

2. Traduire

Conduzco más despacio que antes.
Ya conduje más de prisa.
Hacía falta que redujera mi velocidad.
Es necesario contribuir a la seguridad de todos.
Constituimos una nueva sociedad.
Haría falta que construyéramos tantas casas como antes.
Hace falta también que reduzcamos nuestros gastos.
Esta fábrica no produjo tanto como el año pasado.
No redujimos los gastos tampoco.
Huyó del barullo de la gran ciudad.
Ojalá huyera yo también de estas dificultades.

C 4 TRADUCTION

Les sports

Y a-t-il un match aujourd'hui?

de hand-ball   de football
de basket-ball   de rugby
de volley-ball   de tennis

Qui est-ce qui joue? A quelle heure commence-t-il?

Pouvons-nous louer des raquettes. J'ai les balles.
Où est le court? Je préfère jouer au ping-pong.

Autres sports : athlétisme, boxe, cyclisme, escrime, ski, golf, équitation, hockey, alpinisme, motocyclisme, natation, pelote, courses automobiles, etc.

A 1 PRÉSENTATION

Les pronoms relatifs (I)

que, sujet ou complément	*que (chose), qui (per.)*
el hombre que habla	*l'homme qui parle*
la casa que ves	*la maison que tu vois*
quien(es), sujet ou compl.	*qui (personnes)*
quien más tiene, más quiere	*qui plus a, plus veut avoir*
el señor a quien hablas	*le monsieur à qui tu parles*
El señor con quien hablas	*le monsieur avec qui tu...*

el disco	*le disque*	conocer	*connaître*
la maestra	*l'institutrice*	encontrar (ue)	*trouver, rencontrer*
el sobrino	*le neveu*	esperar	*attendre*
delante de	*devant*	jugar	*jouer*
lejos	*loin*	llamar	*appeler*
ayudar	*aider*	llegar	*arriver*
callar	*se taire*	pensar en	*penser à*

A 2 APPLICATION

1. La semana que viene nos vamos de vacaciones.
2. Ha pagado la factura que no pude pagar.
3. He comprado un disco que vamos a escuchar.
4. Los trabajadores que vienen de lejos llegan tarde.
5. La señora a la que hablaste no es de aquí.
6. Tengo amigos en los que pienso mucho.
7. El chico a quien acompaño es mi sobrino.
8. Hablé con una señora a quien no conozco.
9. Son las personas a quienes ayudamos ayer.
10. Quien no sabe callar, no sabe hablar.
11. Los amigos a quienes llamo salen para Mallorca.
12. Él es quien debe esperarnos.
13. Jugaba la maestra con Perico, el cual nos esperaba.
14. Es una casa nueva delante de la cual se encuentra un jardín.

A 3 REMARQUES

■ **Que,** que ou qui, est invariable et peut être indifféremment **sujet ou complément.** Si **que** est **complément indirect**, il est précédé de l'article **el/la/las/los;**
exemple : **la casa de la que saldrá,** la maison d'où il sortira.

■ **El/la/las/los/cual(es)** = lequel, laquelle, lesquels, lesquelles.

■ **Quien,** ou **quienes,** au pluriel ne s'emploie que pour les personnes et ne porte jamais l'accent écrit au contraire du pronom interrogatif. Lorsque **quien** est complément direct, il suit la règle concernant tous les compléments directs désignant des personnes et doit être précédé de la préposition **a : el chico a quien ves** le garçon que tu vois.

■ **Attention : la señora que mira** peut se traduire par la dame qui regarde ou par la dame qu'il regarde. Pour éviter toute confusion, on traduira le second cas par **la señora a quien mira.**

A 4 TRADUCTION

1. La semaine prochaine nous partons en vacances.

2. Il a payé la facture que je n'ai pas pu payer.

3. J'ai acheté un disque que nous allons écouter.

4. Les travailleurs qui viennent de loin arrivent tard.

5. La dame a qui tu as parlé n'est pas d'ici.

6. J'ai des amis auxquels je pense beaucoup.

7. Le garçon que j'accompagne est mon neveu.

8. J'ai parlé avec une dame que je ne connais pas.

9. Ce sont les personnes que nous avons aidées hier.

10. Qui ne sait pas se taire, ne sait pas parler.

11. Les amis que j'appelle partent pour Mallorque.

12. C'est lui qui doit nous attendre.

13. L'institutrice jouait avec Pierrot qui nous attendait.

14. C'est une maison nouvelle devant laquelle se trouve un jardin.

B 1 PRÉSENTATION

Les pronoms relatifs (II)

préposition + que (choses)	*dont (ct. de verbe)*
la casa de que hablo	*la maison dont je parle*
prép. + quien(es) (pers.)	*dont (ct. de verbe)*
el señor de quien hablo	*l'homme dont je parle*
cuyo/a/os/as + nom	*dont (ct. de nom)*
la señora cuya hija...	*la dame dont la fille...*
la señora cuyos hijos...	*la dame dont les fils...*

el actor	*l'acteur*	el éxito	*le succès*
la actriz	*l'actrice*	la obra	*l'œuvre*
el almacén	*le magasin*	la película	*le film*
el arroz	*le riz*	el terreno	*le terrain*
el asunto	*l'affaire*	el vecino	*le voisin*
la avería	*la panne*	atender a	*s'occuper de*
el baile	*le bal, la danse*	ocurrir	*arriver*
la cocina	*la cuisine*	quejarse	*se plaindre*

B 2 APPLICATION

1. El almacén de que hablábamos está cerrado.
2. Pienso en el asunto de que nos hablaron anteayer.
3. El terreno que necesito es demasiado caro.
4. Se importa el arroz con que se alimentan.
5. Son los muchachos de quienes se habló tanto.
6. Aquí viene el vecino de quien se quejaban.
7. La avería de la cual (de que) se queja ocurrió ayer.
8. Es mi amigo cuyo hermano es actor.
9. Este escritor cuyas obras tienen mucho éxito es peruano.
10. Te presento al señor López cuyos hijos estudian aquí.
11. La casa cuya puerta está abierta es mía.
12. Luis, de cuyos padres hablabas, es mi vecino.
13. Vimos la película de cuya actriz se habla tanto.
14. El señor Cándido por cuya cocina fuimos hasta Segovia nos atendió muy bien.
15. Don Felipe, gracias a cuya amabilidad entramos gratis en el museo, es muy simpático.

B 3   REMARQUES

■ **Dont, complément d'un verbe,** se traduit par un pronom relatif, **que, quien(es)** ou **el/la/los/las cuales,** précédé de la préposition régie par le verbe (le plus souvent **de**), s'il y en a une. Attention aux prépositions espagnoles qui ne correspondent pas aux françaises : **alimentarse con,** se nourrir de ; **pensar en,** penser à ; **contentarse con,** se contenter de ; **necesitar (sans prép.)** avoir besoin de ; **agradecer (sans prép.)** remercier de (p. 260).

■ **Dont complément de nom** se traduit par **cuyo/a/os/as** qui précèdent le nom (sans article) et s'accordent en genre et en nombre avec lui : **cuyo hijo** = dont le fils ; **cuyas hijas** = dont les filles.

■ Lorsqu'ils sont **précédés d'une préposition, cuyo/a/os/as** se traduisent par **duquel, de laquelle, desquels, desquelles : el vecino por cuyo hijo ...** = le voisin par le fils duquel...

B 4   TRADUCTION

1. Le magasin dont nous parlions est fermé.
2. Je pense à l'affaire dont ils nous ont parlé avant-hier.
3. Le terrain dont j'ai besoin est trop cher.
4. On importe le riz dont ils s'alimentent.
5. Ce sont les jeunes gens dont on a tant parlé.
6. Voici le voisin dont ils se plaignaient.
7. La panne dont il se plaint s'est produite hier.
8. C'est mon ami dont le frère est acteur.
9. Cet écrivain dont les œuvres ont beaucoup de succès est péruvien.
10. Je te présente monsieur Lopez dont les fils étudient ici.
11. La maison dont la porte est ouverte est à moi.
12. Louis, des parents duquel tu parlais, est mon voisin.
13. Nous avons vu le film de l'actrice duquel on parle tant.
14. Monsieur Candido, pour la cuisine duquel nous sommes allés jusqu'à Ségovie, nous a très bien accueillis.
15. Monsieur Philippe, grâce à l'amabilité duquel nous sommes entrés gratis au musée, est très sympathique.

1. Réunir les deux phrases avec que ou quien

He hablado con un chico. No le conozco.
Es mi vecino. Te quejas de él.
He comprado discos. Vamos a escucharlos.
Pagaron la factura. No pudimos pagarla.
Conoces a estas personas. Las ayudamos.

2. Réunir les deux phrases avec cuyo

Ves la casa. Sus ventanas están cerradas.
Es mi amigo. Su hermano es actor.
Es mi hermana. Su novio está en Guatemala.
Te presento a Don Luis. Sus hijos estudian aquí.
Es un escritor. Sus libros se venden muy bien.

3. Traduire

Le magasin dont nous parlons est ouvert.
Louis, avec qui tu parles, est mon meilleur ami.
Nous avons lu ce livre dont on parle tant.
C'est le garçon dont les parents vivent en Espagne.
La jeune fille que j'accompagne est ma cousine.
Charles avec le frère duquel tu parlais est mon voisin.
Je pense à l'affaire dont nous avons parlé hier.
Le riz dont ils ont besoin est importé.

C 2 INFORMATIONS PRATIQUES

Faux amis

el caramelo	el bombón
la carta	la tarjeta postal
el cigarro (cigarrillo)	el puro
el constipado (la constipación)	el estreñimiento
el gato	el pastel
el paisano	el campesino
la tabla	la mesa
largo	ancho
gustar	probar
quitar	dejar
repasar	planchar
sentir	oler
subir	sufrir

1. Réunir les deux phrases avec que ou quien

He hablado con un chico que (a quien) no conozco.
Es mi vecino de quien (del que) te quejas.
He comprado discos que vamos a escuchar.
Pagaron la factura que no pudimos pagar.
Conoces a estas personas a quienes (a las que) ayudamos.

2. Réunir les deux phrases avec cuyo

Ves la casa cuyas ventanas están cerradas.
Es mi amigo cuyo hermano es actor.
Es mi hermana cuyo novio está en Guatemala.
Te presento a Don Luis cuyos hijos estudian aquí.
Es un escritor cuyos libros se venden muy bien.

3. Traduire

El almacén de que (del que) hablamos está abierto.
Luis, con quien hablas, es mi mejor amigo.
Leímos este libro de que (del que) se habla tanto.
Es el chico cuyos padres viven en España.
La chica que (a quien) acompaño es mi prima.
Carlos, con cuyo hermano hablabas, es mi vecino.
Pienso en el asunto de que (del que) hablamos ayer.
El arroz que necesitan se importa.

C 4 TRADUCTION

Faux amis

le bonbon	le chocolat (bouchée)
la lettre	la carte postale
la cigarette	le cigare
le rhume	la constipation
le chat	le gâteau
le compatriote	le paysan
la planche	la table
long	large
aimer, plaire	goûter
enlever	quitter, laisser
réviser	repasser
ressentir	sentir (odeur)
monter	subir

PRÉCIS GRAMMATICAL

■ La prononciation des lettres espagnoles

1. LES VOYELLES :

A, O, et **I** se prononcent comme en français.

E se prononce comme le **é** français dans **café**.

U se prononce comme le mot français **ou**.

Le son nasal français (voyelle + n ou m) n'existe pas en espagnol. La voyelle précédant le n ou le m doit être clairement perçue : **in** [i-n], **im** [i-m], etc.

2. LES CONSONNES :

C devant **A, O, U,** ou devant une consonne se prononce comme le français **(k)** dans le mot **cacao**.

C devant **E** et **I** et le **Z** devant **A, O** et **U** se prononcent en mettant le bout de la langue entre les dents légèrement écartées (son proche du **TH** anglais dans **THE**).

CH se prononce [**tch**] comme dans Tchécoslovaquie.

D se prononce comme en français sauf le **D final** qui se prononce comme un **Z** très affaibli (prononciation madrilène : **Madrid** [MadriZ]) ou pas du tout.

G devant **A, O, U,** et devant une consonne se prononce comme en français. Devant **E** et **I**, il a le son du **J** espagnol, **la jota,** (p. 15).

H est toujours muet en espagnol.

J la jota se prononce un peu comme le **ch** allemand ; rappelez-vous le sketch de Raymond Devos (p. 15).

LL peut avoir le son mouillé des mots français **lieu** (L initial) ou **fille** (entre deux voyelles).

Ñ (n tilde) se prononce comme le son **gne** français dans **Espagne**. Mais **digno** [dig-no] en deux syllabes.

Q est toujours accompagné d'un **U** et se prononce [**k**].

R est toujours **roulé** (p. 15) ; le **R initial** et **RR** comportent plusieurs vibrations.

S se prononce toujours comme le double **S** français du mot **cassé**.

V se prononce presque **B**, surtout en début de mot.

X se prononce généralement comme en français entre deux voyelles et **S** devant une consonne. Dans les mots mexicains, placé entre deux voyelles, il se prononce comme **la jota (J) : México** [MéJiko].
Les autres consonnes se prononcent comme en français.

■ Le rôle de l'accent écrit en espagnol

Revoir l'accentuation (p. 13).

a) **L'accent** écrit marque un accent tonique en position anormale : **el lápiz** [lapiZ], le crayon ; **el fútbol** [foutbol], etc.

b) Il distingue des mots de même son mais à la fonction grammaticale différente : **él** (il, lui) **el** (l'article le) ; **sé** (je sais) **se** (pronom se) ; **cómo** (comment) **como** (comme), etc.

c) Il évite que deux voyelles se prononcent en une seule syllabe (diphtongaison) : **el río** [ri-o] le fleuve ; **un policía** [poliZi-a] un policier ou un agent, etc.

d) On le trouve encore sur les mots interrogatifs : **¿Quién?** (Kié-n) qui ? **¿Dónde?** (Do-ndé) où ? etc.

e) Lorsqu'il y a **enclise**, c'est-à-dire déplacement du (ou des) pronom(s) après le verbe à l'infinitif, au gérondif et à l'impératif affirmatif, l'accentuation du verbe ne change pas et si cela est devenu nécessaire, il faut écrire l'accent sur la voyelle tonique : **dígame**, dites-moi ; **¿quiere Ud traérmelo?** voulez-vous me l'apporter ?

■ L'article

a) **L'article défini :**

masculin	**el** (sing.)	**los** (plur.)
féminin	**la** (sing.)	**las** (plur.)

Contractions au masculin singulier :
    a + el = al (au) ;   **de + el = del** (du).

lo, employé comme article, transforme un adjectif ou un participe en véritable nom : **lo mismo,** la même chose ; **lo contrario,** le contraire ; etc. ou se traduit par « ce que » : **lo cierto,** ce qui est certain ; etc.

« **lo + adjectif + que** » se traduit par comme ou combien : **lo simpático que es,** comme il est sympathique.

L'article défini est généralement omis devant les noms de pays et de provinces : **Francia,** la France.
Principales exceptions : **el Perú ; el Ecuador ; la URSS ; el País Vasco,** le Pays basque ; etc.

b) **L'article indéfini :**

masculin	**un** (sing.)	— (plur.)
féminin	**una** (sing.)	— (plur.)

Le **pluriel indéfini** se présente généralement sans article en espagnol : ¿tienes libros? as-tu des livres ?

Cependant **unos** (ou **unas**) est utilisé au début d'une phrase (**unos amigos me invitaron**), devant les mots pluriel qui désignent un seul objet (**unas tijeras,** des ciseaux) ou les deux objets d'une paire (**unos guantes,** des gants) et devant un pluriel qui désigne un groupe restreint (**tengo unos amigos muy simpáticos**). Il est aussi l'équivalent du français « quelque » dans l'approximation numérique (**vale unas doscientas pesetas,** cela vaut quelque 200 pesètes).

L'article indéfini est omis devant **otro,** un autre ; **medio,** un demi ; **cierto,** un certain ; etc.

Attention : Les articles **el** et **un** s'emploient aussi devant un nom féminin commençant par a (ou ha) accentué : **el agua,** l'eau ; **el hambre,** la faim ; **un ave,** un oiseau.

c) **L'article partitif** n'est pas utilisé en espagnol : **bebo agua,** je bois de l'eau ; **come pan,** il mange du pain.

■ Le masculin et le féminin

---

1. Les noms **masculins** sont généralement terminés par **-o** et les mots **féminins** par **-a**. Le genre des mots terminés par d'autres voyelles ou des consonnes est indiqué par l'article : **la leche,** le lait ; **el papel,** le papier.

Principales exceptions : **la foto ; la radio ; la mano,** la main ; **el día,** le jour ; **el problema ; el artista ; el turista ; el colega ; el cura,** le prêtre ; **el Sena,** la Seine ; **el Belga,** le Belge.

2. Formation du féminin des adjectifs :

o/a	guapo/guapa	beau/belle
e/e	amable/amable	aimable
a/a	agrícola/agrícola	agricole
í/í	baladí/baladí	futile
consonne	capaz/capaz	capable

Les adjectifs terminés par une consonne sont invariables sauf pour les nationalités : **español/española ; francés/francesa.**

Exceptions : les adjectifs terminés par **-dor, -tor, -sor, -ón, -án, -ín** (sauf **ruín,** mesquin), **-ote, -ete: trabajador/trabajadora** (travailleur/euse) ; **parlanchín/a** (bavard/e) ; **regordete/a** (grassouillet/te).

■ Le pluriel

-s   mots terminés par une **voyelle (sauf i)** :
            casa/casas ; libro/libros.
-es   mots terminés par **une consonne ou y** :
            camión/camiones ; la ley/las leyes (les lois).
-íes   mots terminés par **i accentué** :
            jabalí/jabalíes (sangliers) ; **rubí/rubíes.**

            Les mots terminés par **-s** restent invariables si la dernière syllabe n'est pas accentuée :
            la crisis/las crisis (crises)
            el paraguas/los paraguas (parapluies)
            mais : **el interés/los intereses** (les intérêts).

■ L'apocope

On appelle ainsi la chute de la voyelle ou de la syllabe finale de certains adjectifs placés devant un nom.

1. **Perte du -o final** devant un nom masculin singulier : **uno = un; bueno = buen; malo = mal; alguno = algún,** quelque ; **ninguno = ningún,** aucun ; **primero = primer,** premier ; **tercero = tercer,** troisième ; **postrero = postrer,** dernier.

2. **Grande** devient **gran** et **cualquiera** devient **cualquier,** n'importe quel, devant un nom masculin ou féminin : **la Gran Vía,** nom d'une grande avenue madrilène, **cualquier ciudad,** n'importe quelle ville.

3. **Ciento** devient **cien** devant un nom ou devant **mil** et **millón** : **cien pesetas ; cien mil pesetas ;** mais on dit **ciento** devant un autre chiffre : ciento cincuenta pesetas.

4. **Santo** se réduit à **San** devant le nom d'un saint : **San Juan,** saint Jean ; **San Pedro,** saint Pierre.
Exceptions : **Santo Domingo,** saint Dominique ; **Santo Tomás,** saint Thomas.

5. Autres apocopes : **recientemente** devient **recién** devant un participe passé : **recién nacido,** nouveau né ; **tanto** et **cuanto** deviennent **tan** et **cuan** devant un adjectif ou un adverbe.

■ Les possessifs

1. Les adjectifs :

avant le nom		après le nom	
mi,	mon, ma	**mío,**	à moi
tu,	ton, ta	**tuyo,**	à toi
su,	son, sa, votre (V. S.)	**suyo,**	à lui, elle, vous (V. S.)
nuestro/a,	notre	**nuestro/a,**	à nous
vuestro/a,	votre (T. P.)	**vuestro/a,**	à vous (T. P.)
su,	leur, votre (V. P.)	**suyo,**	à eux, elles, vous (V. P.)

Le pluriel se forme en ajoutant un **-s** à ces formes :
Son mis libros, ce sont mes livres.
No son tuyos, ils ne sont pas à toi.
Lorsque le possessif correspond à **Ud** ou **Uds,** il convient
d'ajouter la forme **de Ud** ou **de Uds** pour éviter toute confusion :
su casa de Ud, votre maison.

2. Les pronoms : ils sont formés par l'adjonction de l'article
défini, **el, la, los, las,** aux formes **mío, tuyo, suyo,** etc.
El mío, le mien ; **las tuyas,** les tiennes ; etc.

■ Les démonstratifs

1. Les adjectifs :

Il y a trois démonstratifs en espagnol qui correspondent à
différents degrés d'éloignement dans l'espace ou le temps :

este	esta	estos	estas
ese	esa	esos	esas
aquel	aquella	aquellos	aquellas

Aquí : este libro   ici : ce livre-ci
Ahí : ese libro   là (près) : ce livre-là
Allí : aquel libro   là (loin) : ce livre-là
En aquella época   à cette époque-là (éloignée)

2. Les pronoms **démonstratifs** se distinguent des adjectifs
parce qu'ils portent un accent écrit sur la voyelle tonique :
éste, celui-ci ; **ésa,** celle-la ; **aquéllos,** ceux-là ; etc.
Il existe aussi des pronoms neutres qui ne portent pas d'accent
écrit puisqu'il n'y a pas d'adjectifs correspondants :
esto, ceci ; **eso,** cela ; **aquello,** cela (éloigné).

3. Les pronoms démonstratifs suivis de **de** ou de **qui** ou **que**

sont traduits en espagnol par les articles définis correspondants :

el que habla,	celui qui parle.
la que canta,	celle qui chante.
los de ayer,	ceux d'hier.
las que vemos,	celles que nous voyons.

■ Comparatifs et superlatifs

1. **Les comparatifs :**

más	(alto)	**que**	aussi	(grand)	que
menos	(bajo)	**que**	moins	(petit)	que
tan	(fuerte)	**como**	aussi	(fort)	que

Irrégularités : **mayor,** plus grand ; **menor,** plus petit ; **mejor,** meilleur ; **peor,** pire ou pis.

Attention au comparatif d'égalité qui est **tan** (apocope) devant un adjectif ou un adverbe et **tanto/a/os/as** devant un nom :
No soy tan gordo como él, je ne suis pas aussi gros que lui.
tiene tantos libros como tú, il a autant de livres que toi.

2. **Les superlatifs** absolus se forment avec l'adverbe **muy,** très, ou avec le suffixe **-ísimo/a:**

muy elegante	=	**elegantísimo o elegantísima** ;
muy fácil	=	**facilísimo** ;

Irrégularités :

muy rico	=	**riquísimo,** très riche ;
muy amable	=	**amabilísimo** ;
muy antiguo	=	**antiquísimo,** très ancien, etc.

Les superlatifs relatifs se forment comme en français avec un article défini suivi de **más** ou **menos** :

la más delgada,	la plus mince ;	**las más...,** les plus...
el menos gordo,	le moins gros ;	**los menos...,** les moins...

Attention : après un nom déterminé le superlatif relatif s'emploie sans article ;
El chico más inteligente, le garçon le plus intelligent.

■ Les pronoms personnels

Nous ne présentons ici qu'une récapitulation. Veuillez vous reporter aux leçons correspondantes pour des explications plus complètes.

Pronoms sing.	1re pers.	2e personne	3e personne
sujets :	yo	tú	él, ella, Ud
comp. ind. :	me	te	le
comp. dir. :	me	te	le, lo, la
réfléchis :	me	te	se
après prép. :	mí	ti	él, ella, Ud, sí

Pronoms plur.	1re pers.	2e personne	3e personne
sujets :	nosotros/as	vosotros/as	ellos/as, Uds
comp. ind. :	nos	os	les
comp. dir. :	nos	os	los, las
réfléchis :	nos	os	se
après prép. :	nosotros/as	vosotros/as	ellos/as, Uds, sí

Sí après préposition est utilisé lorsque le pronom complément désigne la même personne que le sujet :
Luis habla siempre de sí (mismo), Louis parle toujours de lui (même).
Sinon : **Luis habla siempre de él (Pedro)**, Louis parle toujours de lui (Paul).

Lorsqu'ils sont précédés de la préposition **con**, avec, **mí, ti, sí** deviennent **conmigo**, avec moi, **contigo**, avec toi, **consigo**, avec lui (soi).

Il existe en espagnol un pronom neutre **ello** qui est l'équivalent du français cela : **Pienso en ello**, je pense à cela ou j'y pense.

Rappel de l'emploi de **deux pronoms consécutifs** :
a) le pronom indirect précède toujours le pronom direct.
b) **le**, lui ou vous (V. S.), **les**, leur ou vous (V. P.) se traduisent uniformément par **se** devant un pronom direct de la troisième personne. Une précision peut être donnée en faisant suivre le verbe d'un autre pronom précédé d'une préposition :

> **Se lo digo a él,** je le lui dis.
> **Se lo digo a Ud,** je vous le dis.

■ **Traduction de en et de y**

Ces deux mots n'existent pas en espagnol. On ne cherche à les traduire par des équivalents que s'ils sont indispensables.
S'ils indiquent un lieu, on utilisera un adverbe de lieu comme **aquí**, ici, ou **allí**, là : **salgo de aquí**, j'en sors.
S'ils remplacent un nom, on les traduira par **de eso**, de cela, **de él**, de lui, **de ella**, d'elle, etc. : **me acuerdo de ellos**, je m'en souviens.
Le **en** de **il y en a** se traduit par un pronom complément direct : **¿Hay clientes? — Los hay.** Y a-t-il des clients ? — Il y en a.

■ Traduction de on

1. On emploie le plus souvent une tournure réfléchie **se + verbe à la 3ᵉ personne (singulier ou pluriel).**
On l'utilise toujours pour présenter des faits habituels : **Aquí se habla español,** ici on parle espagnol.
Le complément français devient le sujet en espagnol et, s'il est au pluriel, le verbe le sera aussi :
Se venden manzanas, on vend des pommes.

Exception : le verbe reste au singulier si le complément représente des personnes déterminées : **se oía a los jugadores,** on entendait les joueurs.

2. On emploie la **3ᵉ personne du pluriel** lorsque **on** signifie « quelqu'un » ou « les gens » ou encore pour présenter un fait accidentel : **llaman,** on appelle.

3. **Uno** s'emploie surtout avec les verbes pronominaux pour éviter la répétition de **se** : **los domingos uno se levanta más tarde,** le dimanche on se lève plus tard.

■ Les pronoms relatifs

Que est invariable et est utilisé pour les personnes, les animaux et les choses, soit comme sujet, soit comme complément, avec le sens de que ou de qui : **la persona que habla,** la personne qui parle ; **la casa que ves,** la maison que tu vois.

Quien (quienes au pluriel) ne s'emploie qu'en parlant des personnes. Il est surtout utilisé comme complément et est alors précédé d'une préposition : **la señora a quien hablas,** la dame à qui tu parles.

Traduction de dont

1. **Complément de verbe** : **de que** (choses), **de quien** ou **quienes** (personnes) ou encore **del, de la/los/las que** ou **cual(es):** **el actor de quien se habla,** l'acteur dont on parle.
Attention : quelques verbes peuvent régir une autre préposition que **de** ou ne pas en avoir : **la casa con la que sueño,** la maison dont je rêve ; **el libro que necesito,** le livre dont j'ai besoin.

2. **Complément de nom,** il se traduit par **cuyo, a, os, as,** qui précèdent ce nom (sans article) et s'accordent avec lui en genre et en nombre : **el señor cuyos hijos...,** le monsieur dont les fils... ; **la ciudad cuyas calles...,** la ville dont les rues...

Si **cuyo** est précédé par une préposition, il se traduit par **duquel, de laquelle**, etc. : **el pueblo en cuyas calles...**, le village dans les rues duquel...

Traduction de où

1. S'il y a mouvement vers un lieu, il se traduit par **adonde, a que** ou **al cual: la ciudad adonde vamos ahora...**, la ville où nous allons maintenant...

2. S'il n'y a pas mouvement, il se traduit par **donde, en donde, en que : Este ciudad donde vivimos...**, cette ville où nous vivons...

3. S'il y a une idée de temps elle peut être rendue par **que** ou mieux encore par **en que : el día que nació** ou **el día en que nació**, le jour où il est né.

■ Emploi des prépositions

---

a 1º après un verbe de mouvement et avant un complément de lieu : **voy a Madrid**, je vais à Madrid.
2º devant le complément direct lorsque celui-ci est un nom ou un pronom qui désigne une personne déterminée : **ayudo a mis amigos**, j'aide mes amis.

de 1º pour indiquer la provenance : **viene de Málaga.**
2º la propriété et la matière : **esta pulsera es de plata**, ce bracelet est en argent ; **es de María**, il est à Marie.

en indique le lieu sans mouvement : **está en Segovia.**

por et para :
par se traduit toujours **por, por aquí**, par ici.
Pour se traduit **por** lorsqu'il indique une idée de cause, **lo hago por ti**, je le fais pour (à cause de) toi.
Pour se traduit **para** lorsqu'il indique une idée de destination, **este libro es para ti**, ce livre est pour toi.
Autres prépositions importantes : **ante** devant, **bajo** sous, **con** avec, **contra** contre, **desde** depuis, **durante** pendant, **entre** entre, parmi, **hacia** vers, **hasta** jusqu'à, **sobre** sur, **según** selon, **salvo** sauf, **sin** sans, **tras** derrière, etc.

Prépositions composées : **delante de**, devant ; **detrás de**, derrière ; **dentro de**, dans ; **fuera de**, hors de ; **encima de**, au-dessus de, sur ; **debajo de**, au-dessous de, sous ; **lejos de**, loin de ; **junto a**, près de ; **cerca de**, près de ; **antes de**, avant de ; **después de**, après ; **al lado de**, à côté de ; **al cabo de**, au bout de ; **en frente de**, en face de ; **frente a**, face à ; **en caso de**, en cas de ; **en (a) casa de**, chez.

■ Principales conjonctions

Y (ou **e** devant un mot commençant par **i** ou **hi**): et.

O (ou **u** devant un mot commençant par **o** ou **ho**): ou.

Sea... sea, ya... ya, ora... ora: soit... soit... **pues:** car, donc, pardi, eh bien! **luego,** ensuite, donc; **ni,** ni; **pero,** mais; **sino,** mais; **si no,** sinon; **que,** que; **como,** comme; **cuando,** quand; **mientras,** pendant que; **si,** si; **ya que,** puisque; **porque,** parce que; **sin embargo,** cependant; **en cuanto,** dès que; **tan pronto como;** aussitôt que; **así como,** de même que; **es decir,** c'est-à-dire; **aunque + subj.,** même si; **aunque + ind.,** bien que, quoique.

■ Traduction du verbe être (ser ou estar)

A. Être se traduit par **ser :**

1. **Devant un nom, un pronom, un infinitif ou un numéral.**
Ainsi, on emploie toujours **ser** pour exprimer
— la profession : es ingeniero, il est ingénieur ;
— la nationalité : es canadiense, il est canadien ;
— l'origine : es de Salamanca, il est de Salamanque ;
— la religion : es católico, il est catholique ;
— la matière : este reloj es de oro, cette montre est en or ;
— l'appartenance : es de mi padre, elle est à mon père ;
— la quantité : son once, ils sont onze ; son numerosos, ils sont nombreux.

2. **Devant un adjectif ou un participe passé employé comme adjectif qui expriment une caractéristique essentielle à l'existence du sujet, une définition :**
Es parisiense, joven, rubia y guapa, elle est parisienne, jeune, blonde et jolie.
Esta playa es amplia, muy hermosa y muy blanca, cette plage est vaste, très belle et très blanche.

3. **Avec un participe passé, comme auxiliaire pour exprimer une action à la voix passive :**
Después del gol, Platini fue aplaudido frenéticamente por mi amigo Lorenzo, après le but, Platini a été applaudi à tout rompre par mon ami Laurent.

B. Être se traduit par **estar :**

1. **Pour exprimer une localisation dans l'espace ou dans le temps.**
Están en Colombia, ils sont en Colombie.

Estamos a primero de abril, nous sommes le premier avril.

2. Devant un adjectif ou un participe passé employé comme adjectif pour exprimer un état ou une situation accidentelle, un résultat.

El café está demasiado caliente, le café est trop chaud.
Tu vaso está vacío, ton verre est vide.
El tiempo está bueno hoy, le temps est beau aujourd'hui.

3. Devant un participe passé pour exprimer un état ou le résultat d'une action.

Ahora la casa está vendida, maintenant la maison est vendue.
Están cerrados, ils sont fermés.

4. Avec un gérondif pour exprimer l'action qui est en train de s'accomplir (forme progressive).

Están aprendiendo, ils sont en train d'apprendre.
Ud está estudiando, vous êtes en train d'étudier.

C. Certains adjectifs s'emploient toujours avec **ser** ou toujours avec **estar** :

ser : **feliz** (heureux), **infeliz** (malheureux), **posible** (possible), **imposible** (impossible), **cierto** (certain), **necesario** (nécessaire), **obligatorio** (obligatoire).

estar : **contento** (content), **descontento** (mécontent), **enfermo** (malade), **solo** (seul), **satisfecho** (satisfait).

D. L'emploi de **ser** ou de **estar** peut modifier le sens de certains adjectifs ou participes passés :

ser		estar	
bueno	bon	**bueno**	en bonne santé
malo	méchant	**malo**	malade
cansado	fatigant	**cansado**	fatigué
rico	riche	**rico**	délicieux
listo	vif d'esprit	**listo**	prêt
delicado	délicat	**delicado**	souffrant

E. L'emploi de **ser** ou de **estar** nuance le sens de certains adjectifs :

ser		estar	
nervioso	nerveux	**nervioso**	énervé
nuevo	neuf (récent)	**nuevo**	neuf d'aspect
mudo	muet	**mudo**	ne rien dire
verde	vert	**verde**	pas mûr
loco	fou	**loco**	toqué, cinglé
atento	attentionné	**atento**	attentif

F. Expressions diverses :

¿Qué ha sido de él? qu'est-il advenu de lui?
Está de vacaciones, il est en vacances.
Está para salir, il est sur le point de sortir.
Está para cantar, il est d'humeur à chanter.
Está por salir, il est tenté de sortir.

■ Les verbes espagnols

Le verbe espagnol, régulier ou non. ne peut se terminer à l'infinitif que par **-ar, -er** ou **-ir,**

Ces terminaisons différentes entraînent des conjugaisons différentes.

Chaque personne d'un verbe conjugué a **une terminaison caractéristique ;** aussi le pronom personnel sujet (je, tu, il, elle, nous, vous, ils, elles, en français) devient-il inutile, sauf aux 1re et 3e personnes du singulier

> de l'imparfait de l'indicatif
> du présent du subjonctif
> des deux imparfaits du subjonctif
> du conditionnel
> où les terminaisons sont semblables.

Le pronom personnel sujet ne sera donc utilisé que pour éviter une confusion entre deux personnes ou pour marquer l'insistance sur la personne qui fait l'action :

> moi, je... — lui, il...

Comparée à la conjugaison française, la conjugaison espagnole présente **une particularité :** l'imparfait du subjonctif a deux formes qui ont la même signification et qui peuvent être utilisées indifféremment.

Le tableau de conjugaison ci-dessous présente entre les traits verticaux, les temps qui dépendent les uns des autres en espagnol.

Indicatif présent	Subjonctif présent	futur	conditionnel
j'unis	que j'unisse	j'unirai	j'unirais
tu unis	que tu unisses	tu uniras	tu unirais
il unit	qu'il unisse	il unira	il unirait
nous unissons	que nous unissions	nous unirons	nous unirions
vous unissez	que vous unissiez	vous unirez	vous uniriez
ils unissent	qu'ils unissent	ils uniront	ils uniraient

■ Les verbes espagnols

Il y a, en espagnol, dans la conjugaison des temps simples, **trois temps-clés :**

— le **présent de l'indicatif** qui donne le **présent du subjonctif**

— le **futur de l'indicatif** qui donne le **conditionnel présent**

— le **passé simple** qui, par l'intermédiaire de sa 3e personne du pluriel, donne **les deux imparfaits du subjonctif.**

L'imparfait de l'indicatif, sauf pour trois verbes, est **toujours régulier,**

Les verbes espagnols seront étudiés dans l'ordre suivant :

— les verbes réguliers
— les verbes à diphtongue
— les verbes sentir et pedir
— les verbes en -acer, -ecer, -ocer et -ucir
— les verbes en -uir et -iar
— les verbes irréguliers indépendants.

Le verbe français qui y est conjugué n'est là qu'à titre de référence ou de souvenir éventuellement. Cette disposition a été adoptée de la page 272 à la page 283 pour la récapitulation de l'ensemble des verbes espagnols.

Indicatif imparfait	Passé simple	Imparfaits du subjonctif 1re forme	2e forme
j'unissais	j'unis	que j'unisse	
tu unissais	tu unis	que tu unisses	
il unissait	il unit	qu'il unît	
nous unissions	nous unîmes	que nous unissions	
vous unissiez	vous unîtes	que vous unissiez	
ils unissaient	ils unirent	qu'ils unissent	

■ Les verbes réguliers

un radical qu'on retrouve à toutes les personnes.	**TOM — AR** **COM — ER** **VIV — IR**	une terminaison qui change à toutes les personnes.

Présent de l'indicatif

TOM—AR	COM—ER	VIV—IR	
tom **o**	com **o**	viv **o**	A cette personne,
tom **as**	com **es**	viv **es**	on a *radical* + o
tom **a**	com **e**	viv **e**	
tom **amos**	com **emos**	viv **imos**	
tom **áis**	com **éis**	viv **ís**	
tom **an**	com **en**	viv **en**	
a	**e**	**e**	

c'est la voyelle
de l'infinitif.

COMER et VIVIR ont même conjugaison, sauf aux 1re et 2e pers. plur. prés. ind. et tutoiement plur. impérat.

Présent du subjonctif

— AR	**— ER**	**— IR**
tom**e**	com**a**	viv**a**
tom**es**	com**as**	viv**as**
tom**e**	com**a**	viv**a**
tom**emos**	com**amos**	viv**amos**
tom**éis**	com**áis**	viv**áis**
tom**en**	com**an**	viv**an**

Si l'infinitif est en -AR, le subjonctif est en -e.
S'il est en -ER ou -IR, le subjonctif est en -a.

Futur de l'indicatif et conditionnel

futur : infinitif +
tomar
comer
vivir
$\begin{cases} \textbf{é} \\ \textbf{ás} \\ \textbf{á} \\ \textbf{emos} \\ \textbf{éis} \\ \textbf{án} \end{cases}$

condit. : infinitif +
tomar
comer
vivir
$\begin{cases} \textbf{ía} \\ \textbf{ías} \\ \textbf{ía} \\ \textbf{íamos} \\ \textbf{íais} \\ \textbf{ían} \end{cases}$

Imparfait de l'indicatif

tomar : radical + **aba**
          abas
          aba
          ábamos
          abais
          aban

comer
vivir : radical + í

Il n'y a que 3 exceptions : ser = era, ver
(V. tableau de ces 3 verbes)

Passé simple et imparfaits du subjonct

tomé		comí	
tomaste		comiste	
tomó		comió	
tomamos		comimos	
tomasteis		comisteis	
tomaron		comieron	vivieron
tomara	tomase	comiera	viviese
tomaras	tomases	comieras	vivieses
tomara	tomase	comiera	viviese
tomáramos	tomásemos	comiéramos	viviésemos
tomarais	tomaseis	comierais	vivieseis
tomaran	tomasen	comieran	viviesen

Notez que ce qui différencie essentiellement les passés simples, ce sont les voyelles sous l'accent :

é — a — ó — a — a — a
í — i — ió — i — i — ie

Les imparfaits du subjonctif proviennent toujours de la troisième personne du pluriel du passé simple

Gérondif

tom ar : tom ando   *en prenant*
com er : com iendo   *en mangeant*
viv   ir : viv iendo   *en habitant*

Participe passé

tom ar : tom ado   *pris*
com er : com ido   *mangé*
viv   ir : viv ido   *habité*

Une diphtongue est la transformation d'une **voyelle** en **deux voyelles** :

venir = je viens

En espagnol, deux voyelles peuvent diphtonguer :

le **o** en **ue**
le **e** en **ie**

La diphtongaison ne se produit normalement que sous l'influence de l'accent.

Dans la conjugaison espagnole, ce phénomène ne peut se produire qu'aux trois premières personnes du singulier et à la 3e personne du pluriel des présents de l'indicatif et du subjonctif.

Ayez en mémoire :

je viens	que je vienne
tu viens	que tu viennes
il vient	qu'il vienne
nous venons	que nous venions
vous venez	que vous veniez
ils viennent	qu'ils viennent

Le même phénomène, aux mêmes endroits, se produit en espagnol.

Aux autres personnes et aux autres temps, les verbes à diphtongue sont des verbes réguliers.

contar **ue - ue - ue - o - o - ue**
perder **ie - ie - ie - e - e - ie**

Difficulté : il n'y a pas de moyen, a priori, de savoir si un verbe diphtongue ou non. Aussi, en cas de doute, convient-il de consulter un dictionnaire.

■ Les verbes sentir et pedir

Ces deux verbes sont les modèles des verbes terminés en **-ir** et qui ont un e en dernière syllabe de radical :

— E/IR (ne pas confondre avec un verbe comme, par exemple, ESCRIBIR où le E ne se trouve pas en dernière syllabe de radical).

Les verbes SENTIR et PEDIR ont deux types d'irrégularité, la deuxième étant commune aux deux verbes :

SENTIR

1° **-E→IE** aux 3 premières personnes du singulier et la 3ᵉ du pluriel des présents de l'indicatif et du subjonctif

PEDIR

1° **-E→I** aux 3 premières personnes du singulier et à la 3ᵉ du pluriel des présents de l'indicatif et du subjonctif

2° **-E→I** aux 1ʳᵉ et 2ᵉ personnes du pluriel du subjonctif prés. aux 3ᵉ personnes du singulier et du pluriel du passé simple, et donc aux 2 subjonctifs imparfaits, au gérondif

Aux autres personnes et aux autres temps, ces verbes sont réguliers.

Vont se conjuguer sur **SENTIR** les verbes dont le **E** sera suivi de **NT** ou de **R** :

$$-E \begin{array}{c} NT \\ R \end{array} IR = SENTIR$$

Tous les autres verbes en **-IR** qui ont un **E** en dernière syllabe de radical se conjuguent sur **PEDIR**.

Exceptions : **SERVIR** dont le **E** est pourtant suivi d'un R se conjugue sur **PEDIR**.

ERGUIR admet les deux conjugaisons : yergo ou irgo, mais la deuxième est sans doute plus fréquente.

■ Les verbes en -acer, -ecer, -ocer, -ucir

Les verbes dont l'infinitif se termine en **-ACER, -ECER, -OCER**
ou **-UCIR** présentent l'irrégularité suivante : ils intercalent
un Z entre la voyelle de la dernière syllabe du radical et le C
à la 1ʳᵉ personne du singulier du présent de l'indicatif, et donc,
à tout le subjonctif présent :

OBEDECER	obedeZco	obedeZca
	obedeces	obedeZcas
	etc.	etc.

En plus, les verbes terminés en **-DUCIR** ont un passé simple
irrégulier terminé en **-DUJE** :

CONDUCIR	conduje	conduj**e**ra	conduj**e**se
	condujiste	etc.	etc.
	condujo		
	condujimos		
	condujisteis		
	conduj**e**ron		

Exceptions : **COCER,** cuire = **cuezo** ; **HACER,** faire, qui est
un verbe irrégulier indépendant ; **MECER,** bercer = **mezo.**

■ Les verbes en -uir

Ils intercalent un **Y** entre le radical et la terminaison lorsque
cette dernière ne commence pas par un I accentué :

CONCLUIR   conclu**Y**o, conclu**Y**es, mais **concluimos**

Attention à **concluyó... concluyeron → concluyera, con-
cluyese, concluyendo.**

■ Les verbes en -iar

Certains verbes, comme **VARIAR,** accentuent le **I** aux 3 personnes du singulier et à la 3ᵉ du pluriel des présents de l'indicatif et du subjonctif :

VARIAR   varío, varías, varía, ... varían
            varíe, varíes, varíe, ... varíen

D'autres, comme **CAMBIAR,** lient le **I** à la voyelle suivante :

CAMBIAR   cambio, cambias, cambia, ... cambian
            cambie, cambies, cambie, ... cambien

Consultez le dictionnaire.

270

■ Les verbes irréguliers indépendants

Ils sont au nombre de **21.** Tous sont des verbes très utilisés et il convient donc de les savoir très bien.

Il n'y a pas moyen de les classer — ils sont indépendants — mais les règles fondamentales de la conjugaison restent en général vraies :

— le présent de l'indicatif (1re personne du singulier) donne tout le subjonctif présent. Il y a 6 exceptions : dar, estar, haber, ir, saber, ser.

— le futur donne **toujours** le conditionnel

— le passé simple donne **toujours** les imparfaits du subjonctif.

Seuls 3 de ces 21 verbes ont un imparfait de l'indicatif irrégulier :

IR	**iba, ibas, etc.**
SER	**era, eras, etc,**
VER	**veía, veías, etc.**

Attention à certains passés simples qu'on appelle des prétérits forts et qui ont comme particularités :

— un changement (voyelle et parfois consonne du radical)

CABER	**cupe, cupiste**
PONER	**puse, pusiste**
etc.	

— une accentuation sur le radical aux 1re et 3e personnes du singulier

c**u**pe ... c**u**po
p**u**se ... p**u**so

Il va de soi que les subjonctifs imparfaits héritent des irrégularités de ces passés simples :

cupieron	→ **cupiera**	**cupiese**
pusieron	→ **pusiera**	**pusiese**

Nous ne donnons pas le tableau du verbe ASIR, saisir, qui est peu utilisé maintenant et dont la seule irrégularité est au présent de l'indicatif :

ASIR	**asgo**	**asga**
	ases	**asgas**
	etc.	**etc.**

Tomar *prendre*

tomo	→	tome	tomaré →	tomaría
tomas		tomes	tomarás	tomarías
toma		tome	tomará	tomaría
tomamos		tomemos	tomaremos	tomaríamos
tomáis		toméis	tomaréis	tomaríais
toman		tomen	tomarán	tomarían

Comer *manger*

como	→	coma	comeré →	comería
comes		comas	comerás	comerías
come		coma	comerá	comería
comemos		comamos	comeremos	comeríamos
coméis		comáis	comeréis	comeríais
comen		coman	comerán	comerían

Vivir *habiter, vivre*

vivo	→	viva	viviré →	viviría
vives		vivas	vivirás	vivirías
vive		viva	vivirá	viviría
vivimos		vivamos	viviremos	viviríamos
vivís		viváis	viviréis	viviríais
viven		vivan	vivirán	vivirían

Volver *rentrer*

vuelvo	→	vuelva	volveré →	volvería
vuelves		vuelvas	volverás	volverías
vuelve		vuelva	volverá	volvería
volvemos		volvamos	volveremos	volveríamos
volvéis		volváis	volveréis	volveríais
vuelven		vuelvan	volverán	volverían

Empezar *commencer*

empiezo	→	empiece	empezaré →	empezaría
empiezas		empieces	empezarás	empezarías
empieza		empiece	empezará	empezaría
empezamos		empecemos	empezaremos	empezaríamos
empezáis		empecéis	empezaréis	empezaríais
empiezan		empiecen	empezarán	empezarían

Tomar *prendre*

tomaba	tomé	tomara	tomase
tomabas	tomaste	tomaras	tomases
tomaba	tomó	tomara	tomase
tomábamos	tomamos	tomáramos	tomásemos
tomabais	tomasteis	tomarais	tomaseis
tomaban	tomaron	tomaran	tomasen

Comer *manger*

comía	comí	comiera	comiese
comías	comiste	comieras	comieses
comía	comió	comiera	comiese
comíamos	comimos	comiéramos	comiésemos
comíais	comisteis	comierais	comieseis
comían	comieron	comieran	comiesen

Vivir *habiter, vivre*

vivía	viví	viviera	viviese
vivías	viviste	vivieras	vivieses
vivía	vivió	viviera	viviese
vivíamos	vivimos	viviéramos	viviésemos
vivíais	vivisteis	vivierais	vivieseis
vivían	vivieron	vivieran	viviesen

Volver *rentrer*

volvía	volví	volviera	volviese
volvías	volviste	volvieras	volvieses
volvía	volvió	volviera	volviese
volvíamos	volvimos	volviéramos	volviésemos
volvíais	volvisteis	volvierais	volvieseis
volvían	volvieron	volvieran	volviesen

Empezar *commencer*

empezaba	empecé	empezara	empezase
empezabas	empezaste	empezaras	empezases
empezaba	empezó	empezara	empezase
empezábamos	empezamos	empezáramos	empezásemos
empezabais	empezasteis	empezarais	empezaseis
empezaban	empezaron	empezaran	empezasen

Sentir   *sentir, regretter, entendre*

siento →	sienta	sentiré →	sentiría
sientes	sientas	sentirás	sentirías
siente	sienta	sentirá	sentiría
sentimos	sintamos	sentiremos	sentiríamos
sentís	sintáis	sentiréis	sentiríais
sienten	sientan	sentirán	sentirían

Pedir   *demander, exiger*

pido →	pida	pediré →	pediría
pides	pidas	pedirás	pedirías
pide	pida	pedirá	pediría
pedimos	pidamos	pediremos	pediríamos
pedís	pidáis	pediréis	pediríais
piden	pidan	pedirán	pedirían

Conducir   *conduire*

conduzco →	conduzca	conduciré →	conduciría
conduces	conduzcas	conducirás	conducirías
conduce	conduzca	conducirá	conduciría
conducimos	conduzcamos	conduciremos	conduciríamos
conducís	conduzcáis	conduciréis	conduciríais
conducen	conduzcan	conducirán	conducirían

Andar   *marcher*

ando →	ande	andaré →	andaría
andas	andes	andarás	andarías
anda	ande	andará	andaría
andamos	andemos	andaremos	andaríamos
andáis	andéis	andaréis	andaríais
andan	anden	andarán	andarían

Caber   *tenir dans, être contenu*

quepo →	quepa	cabré →	cabría
cabes	quepas	cabrás	cabrías
cabe	quepa	cabrá	cabría
cabemos	quepamos	cabremos	cabríamos
cabéis	quepáis	cabréis	cabríais
caben	quepan	cabrán	cabrían

Sentir *sentir, regretter, entendre*

sentía	sentí	sintiera	sintiese
sentías	sentiste	sintieras	sintieses
sentía	sintió	sintiera	sintiese
sentíamos	sentimos	sintiéramos	sintiésemos
sentíais	sentisteis	sintierais	sintieseis
sentían	sintieron	sintieran	sintiesen

Pedir *demander, exiger*

pedía	pedí	pidiera	pidiese
pedías	pediste	pidieras	pidieses
pedía	pidió	pidiera	pidiese
pedíamos	pedimos	pidiéramos	pidiésemos
pedíais	pedisteis	pidierais	pidieseis
pedían	pidieron	pidieran	pidiesen

Conducir *conduire*

conducía	conduje	condujera	condujese
conducías	condujiste	condujeras	condujeses
conducía	condujo	condujera	condujese
conducíamos	condujimos	condujéramos	condujésemos
conducíais	condujisteis	condujerais	condujeseis
conducían	condujeron	condujeran	condujesen

Andar *marcher*

andaba	anduve	anduviera	anduviese
andabas	anduviste	anduvieras	anduvieses
andaba	anduvo	anduviera	anduviese
andábamos	anduvimos	anduviéramos	anduviésemos
andabais	anduvisteis	anduvierais	anduvieseis
andaban	anduvieron	anduvieran	anduviesen

Caber *tenir dans, être contenu*

cabía	cupe	cupiera	cupiese
cabías	cupiste	cupieras	cupieses
cabía	cupo	cupiera	cupiese
cabíamos	cupimos	cupiéramos	cupiésemos
cabíais	cupisteis	cupierais	cupieseis
cabían	cupieron	cupieran	cupiesen

Caer *tomber*

caigo →	caiga	caeré →	caería
caes	caigas	caerás	caerías
cae	caiga	caerá	caería
caemos	caigamos	caeremos	caeríamos
caéis	caigáis	caeréis	caeríais
caen	caigan	caerán	caerían

Dar *donner*

doy	dé	daré →	daría
das	des	darás	darías
da	dé	dará	daría
damos	demos	daremos	daríamos
dais	deis	daréis	daríais
dan	den	darán	darían

Decir *dire*

digo →	diga	diré →	diría
dices	digas	dirás	dirías
dice	diga	dirá	diría
decimos	digamos	diremos	diríamos
decís	digáis	diréis	diríais
dicen	digan	dirán	dirían

Estar *être, se trouver*

estoy	esté	estaré →	estaría
estás	estés	estarás	estarías
está	esté	estará	estaría
estamos	estemos	estaremos	estaríamos
estáis	estéis	estaréis	estaríais
están	estén	estarán	estarían

Haber *avoir (auxiliaire)*

he	haya	habré →	habría
has	hayas	habrás	habrías
ha	haya	habrá	habría
hemos	hayamos	habremos	habríamos
habéis	hayáis	habréis	habríais
han	hayan	habrán	habrían

Caer *tomber*

caía	caí	cayera	cayese
caías	caíste	cayeras	cayeses
caía	cayó	cayera	cayese
caíamos	caímos	cayéramos	cayésemos
caíais	caísteis	cayerais	cayeseis
caían	cayeron	cayeran	cayesen

Dar *donner*

daba	di	diera	diese
dabas	diste	dieras	dieses
daba	dio	diera	diese
dábamos	dimos	diéramos	diésemos
dabais	disteis	dierais	dieseis
daban	dieron	dieran	diesen

Decir *dire*

decía	dije	dijera	dijese
decías	dijiste	dijeras	dijeses
decía	dijo	dijera	dijese
decíamos	dijimos	dijéramos	dijésemos
decíais	dijisteis	dijerais	dijeseis
decían	dijeron	dijeran	dijesen

Estar *être, se trouver*

estaba	estuve	estuviera	estuviese
estabas	estuviste	estuvieras	estuvieses
estaba	estuvo	estuviera	estuviese
estábamos	estuvimos	estuviéramos	estuviésemos
estabais	estuvisteis	estuvierais	estuvieseis
estaban	estuvieron	estuvieran	estuviesen

Haber *avoir (auxiliaire)*

había	hube	hubiera	hubiese
habías	hubiste	hubieras	hubieses
había	hubo	hubiera	hubiese
habíamos	hubimos	hubiéramos	hubiésemos
habíais	hubisteis	hubierais	hubieseis
habían	hubieron	hubieran	hubiesen

Hacer *faire*

hago	→ haga	haré	→	haría
haces	hagas	harás		harías
hace	haga	hará		haría
hacemos	hagamos	haremos		haríamos
hacéis	hagáis	haréis		haríais
hacen	hagan	harán		harían

Ir *aller*

voy	vaya	iré	→	iría
vas	vayas	irás		irías
va	vaya	irá		iría
vamos	vayamos	iremos		iríamos
vais	vayáis	iréis		iríais
van	vayan	irán		irían

Oír *entendre*

oigo	→ oiga	oiré	→	oiría
oyes	oigas	oirás		oirías
oye	oiga	oirá		oiría
oímos	oigamos	oiremos		oiríamos
oís	oigáis	oiréis		oiríais
oyen	oigan	oirán		oirían

Poder *pouvoir*

puedo	→ pueda	podré	→	podría
puedes	puedas	podrás		podrías
puede	pueda	podrá		podría
podemos	podamos	podremos		podríamos
podéis	podáis	podréis		podríais
pueden	puedan	podrán		podrían

Poner *mettre*

pongo	→ ponga	pondré	→	pondría
pones	pongas	pondrás		pondrías
pone	ponga	pondrá		pondría
ponemos	pongamos	pondremos		pondríamos
ponéis	pongáis	pondréis		pondríais
ponen	pongan	pondrán		pondrían

Hacer *faire*

hacía	hice	hiciera	hiciese
hacías	hiciste	hicieras	hicieses
hacía	hizo	hiciera	hiciese
hacíamos	hicimos	hiciéramos	hiciésemos
hacíais	hicisteis	hicierais	hicieseis
hacían	hicieron	hicieran	hiciesen

Ir *aller*

iba	fui	fuera	fuese
ibas	fuiste	fueras	fueses
iba	fue	fuera	fuese
íbamos	fuimos	fuéramos	fuésemos
ibais	fuisteis	fuerais	fueseis
iban	fueron	fueran	fuesen

Oír *entendre*

oía	oí	oyera	oyese
oías	oíste	oyeras	oyeses
oía	oyó	oyera	oyese
oíamos	oímos	oyéramos	oyésemos
oíais	oísteis	oyerais	oyeseis
oían	oyeron	oyeran	oyesen

Poder *pouvoir*

podía	pude	pudiera	pudiese
podías	pudiste	pudieras	pudieses
podía	pudo	pudiera	pudiese
podíamos	pudimos	pudiéramos	pudiésemos
podíais	pudisteis	pudierais	pudieseis
podían	pudieron	pudieran	pudiesen

Poner *mettre*

ponía	puse	pusiera	pusiese
ponías	pusiste	pusieras	pusieses
ponía	puso	pusiera	pusiese
poníamos	pusimos	pusiéramos	pusiésemos
poníais	pusisteis	pusierais	pusieseis
ponían	pusieron	pusieran	pusiesen

Querer *vouloir, aimer*

quiero →	quiera	querré →	querría
quieres	quieras	querrás	querrías
quiere	quiera	querrá	querría
queremos	queramos	querremos	querríamos
queréis	queráis	querréis	querríais
quieren	quieran	querrán	querrían

Saber *savoir*

sé	sepa	sabré →	sabría
sabes	sepas	sabrás	sabrías
sabe	sepa	sabrá	sabría
sabemos	sepamos	sabremos	sabríamos
sabéis	sepáis	sabréis	sabríais
saben	sepan	sabrán	sabrían

Salir *sortir*

salgo →	salga	saldré →	saldría
sales	salgas	saldrás	saldrías
sale	salga	saldrá	saldría
salimos	salgamos	saldremos	saldríamos
salís	salgáis	saldréis	saldríais
salen	salgan	saldrán	saldrían

Ser *être*

soy	sea	seré →	sería
eres	seas	serás	serías
es	sea	será	sería
somos	seamos	seremos	seríamos
sois	seáis	seréis	seríais
son	sean	serán	serían

Tener *avoir, posséder*

tengo →	tenga	tendré →	tendría
tienes	tengas	tendrás	tendrías
tiene	tenga	tendrá	tendría
tenemos	tengamos	tendremos	tendríamos
tenéis	tengáis	tendréis	tendríais
tienen	tengan	tendrán	tendrían

Querer *vouloir, aimer*

quería	quise	quisiera	quisiese
querías	quisiste	quisieras	quisieses
quería	quiso	quisiera	quisiese
queríamos	quisimos	quisiéramos	quisiésemos
queríais	quisisteis	quisierais	quisieseis
querían	quisieron	quisieran	quisiesen

Saber *savoir*

sabía	supe	supiera	supiese
sabías	supiste	supieras	supieses
sabía	supo	supiera	supiese
sabíamos	supimos	supiéramos	supiésemos
sabíais	supisteis	supierais	supieseis
sabían	supieron	supieran	supiesen

Salir *sortir*

salía	salí	saliera	saliese
salías	saliste	salieras	salieses
salía	salió	saliera	saliese
salíamos	salimos	saliéramos	saliésemos
salíais	salisteis	salierais	salieseis
salían	salieron	salieran	saliesen

Ser *être*

era	fui	fuera	fuese
eras	fuiste	fueras	fueses
era	fue	fuera	fuese
éramos	fuimos	fuéramos	fuésemos
erais	fuisteis	fuerais	fueseis
eran	fueron	fueran	fuesen

Tener *avoir, posséder*

tenía	tuve	tuviera	tuviese
tenías	tuviste	tuvieras	tuvieses
tenía	tuvo	tuviera	tuviese
teníamos	tuvimos	tuviéramos	tuviésemos
teníais	tuvisteis	tuvierais	tuvieseis
tenían	tuvieron	tuvieran	tuviesen

Traer   *apporter, amener*

traigo →	traiga	traeré →	traería
traes	traigas	traerás	traerías
trae	traiga	traerá	traería
traemos	traigamos	traeremos	traeríamos
traéis	traigáis	traeréis	traeríais
traen	traigan	traerán	traerían

Valer   *valoir*

valgo →	valga	valdré →	valdría
vales	valgas	valdrás	valdrías
vale	valga	valdrá	valdría
valemos	valgamos	valdremos	valdríamos
valéis	valgáis	valdréis	valdríais
valen	valgan	valdrán	valdrían

Venir   *venir*

vengo →	venga	vendré →	vendría
vienes	vengas	vendrás	vendrías
viene	venga	vendrá	vendría
venimos	vengamos	vendremos	vendríamos
venís	vengáis	vendréis	vendríais
vienen	vengan	vendrán	vendrían

Ver   *voir*

veo →	vea	veré →	vería
ves	veas	verás	verías
ve	vea	verá	vería
vemos	veamos	veremos	veríamos
veis	veáis	veréis	veríais
ven	vean	verán	verían

■ Participes passés irréguliers

abrir	**abierto**	cubrir	**cubierto**	decir	**dicho**
escribir	**escrito**	hacer	**hecho**	imprimir	**impreso**
morir	**muerto**	poner	**puesto**	resolver	**resuelto**
romper	**roto**	ver	**visto**	volver	**vuelto**

Traer *apporter, amener*

traía	traje	trajera	trajese
traías	trajiste	trajeras	trajeses
traía	trajo	trajera	trajese
traíamos	trajimos	trajéramos	trajésemos
traíais	trajisteis	trajerais	trajeseis
traían	trajeron	trajeran	trajesen

Valer *valoir*

valía	valí	valiera	valiese
valías	valiste	valieras	valieses
valía	valió	valiera	valiese
valíamos	valimos	valiéramos	valiésemos
valíais	valisteis	valierais	valieseis
valían	valieron	valieran	valiesen

Venir *venir*

venía	vine	viniera	viniese
venías	viniste	vinieras	vinieses
venía	vino	viniera	viniese
veníamos	vinimos	viniéramos	viniésemos
veníais	vinisteis	vinierais	vinieseis
venían	vinieron	vinieran	viniesen

Ver *voir*

veía	vi	viera	viese
veías	viste	vieras	vieses
veía	vio	viera	viese
veíamos	vimos	viéramos	viésemos
veíais	visteis	vierais	vieseis
veían	vieron	vieran	viesen

Gérondif

A proprement parler, seul le verbe **poder** a un gérondif irrégulier : **pudiendo.**

■ L'impératif

L'impératif espagnol a cinq personnes :

V. S.   tome Ud   prenez (vous, Madame. Vouvoiement sin-
                                             gulier).
V. P.   tomen Uds   prenez (vous, Mesdames. Vouvoiement
                                             pluriel).
lp   tomemos   prenons
T. S.   toma   prends (toi. Tutoiement singulier).
T. P.   tomad   prenez (toi et toi. Tutoiement pluriel).

Les personnes du V. S., V. P. et lp sont **empruntées au subjonctif présent.**

Les personnes des T. S. et T. P. ont une autre origine :

**T. S. : c'est la 2ᵉ personne du singulier du présent de l'indi-
catif moins le s : tomas = toma.**
T. P. : correspond à l'infinitif moins r plus d : tomar = tomad

L'impératif négatif est formé avec **NO + le subjonctid présent.**
Aussi les V. S., V. P. et lp ne changent-ils pas. Pour les T. S.
et T. P., pensez bien aux terminaisons des 2ᵉ personnes du
singulier et du pluriel : no tomes, no toméis.
Attention aux impératifs des verbes pronominaux (va-t'en) et
des verbes conjugués avec un ou deux pronoms personnels
compléments (demande-le, demande-le-lui). A la forme
affirmative, le ou les pronoms sont attachés à la fin du verbe.
Cependant, bien que le mot soit ainsi allongé d'une ou deux
syllabes, l'accentuation reste la même et l'accent écrit apparaît
sur la voyelle qui était déjà accentuée, d'une façon non écrite
dans la forme verbale seule :

          vaya Ud   **váyase Ud**   *allez-vous-en.*

Cet attachement du pronom personnel au verbe ne se fait pas
à la forme négative :

          no se vaya Ud   *ne vous en allez pas.*

Il y a 9 impératifs irréguliers au T. S. :

**decir = di ; hacer = haz ; ir = ve ; poner = pon ; salir = sal ;
ser = sé ; tener = ten ; valer = val ; venir = ven.**

Par ailleurs le verbe **IR** est également irrégulier à **lp**
affirmatif : **vamos** au lieu de **vayamos** (v. page suivante).

Prendre		**Tomar**	
prenez	ne prenez pas	tome Ud	no tome Ud
prenez	ne prenez pas	tomen Uds	no tomen Uds
prenons	ne prenons pas	tomemos	no tomemos
prends	ne prends pas	toma	no tomes
prenez	ne prenez pas	tomad	no toméis

Vivir habiter, vivre		**Comer** manger	
viva Ud	no viva Ud	coma Ud	no coma Ud
vivan Uds	no vivan Uds	coman Uds	no coman Uds
vivamos	no vivamos	comamos	no comamos
vive	no vivas	come	no comas
vivid	no viváis	comed	no comáis

Contar compter, raconter		**Unirse** s'unir	
cuente Ud	no cuente Ud	únase Ud	no se una Ud
cuenten Uds	no cuenten Uds	únanse Uds	no se unan Uds
contemos	no contemos	unámonos	no nos unamos
cuenta	no cuentes	únete	no te unas
contad	no contéis	uníos	no os unáis

Sentir sentir, regretter		**Volverse** se tourner	
sienta Ud	no sienta Ud	vuélvase	no se vuelva Ud
sientan Uds	no sientan Uds	vuélvanse	no se vuelvan
sintamos	no sintamos	volvámonos	no nos volvamos
siente	no sientas	vuélvete	no te vuelvas
sentid	no sintáis	volveos	no os volváis

Irse s'en aller		**Pedirlo** le demander	
váyase Ud	no se vaya Ud	pídalo Ud	no lo pida Ud
váyanse Uds	no se vayan Uds	pídanlo Uds	no lo pidan Uds
vámonos	no nos vayamos	pidámoslo	no lo pidamos
vete	no te vayas	pídelo	no lo pidas
idos	no os vayáis	pedidlo	no lo pidáis

■ PRÉCIS GRAMMATICAL

IMPRIMÉ EN FRANCE PAR BRODARD ET TAUPIN
58, rue Jean Bleuzen - Vanves.
Usine de La Flèche, le 05-09-1986.
6666-5 - Nº d'Éditeur 1385, 3ᵉ trimestre 1978.

PRESSES POCKET - 8, rue Garancière - 75006 Paris
Tél. 46.34.12.80